SOIGNE TA CHUTE
de Flora Balzano
est le cent quatre-vingt-huitième ouvrage
publié chez
LANCTÔT ÉDITEUR
et le dix-huitième de la
« petite collection lanctôt ».

D1413881

SOIGNE TA CHUTE

Flora Balzano

SOIGNE TA CHUTE

roman

PCL / petite collection lanctôt

LANCTÔT ÉDITEUR
1660 A, avenue Ducharme
Outremont, Québec
H2V 1G7
Tél. : (514) 270.6303
Téléc. : (514) 273.9608
Adresse électronique : lanctotediteur@videotron.ca
Site Internet : www.lanctotediteur.qc.ca

Photo de la couverture : Sophie Quevillon
Montage : Édiscript enr.
Maquette de la couverture : Folio infographie

Distribution :
Prologue
Tél. : (514) 434.0306 / 1.800.363.2864
Téléc. : (514) 434.2627 / 1.800.361.8088

Distribution en Europe :
Librairie du Québec
30, rue Gay-Lussac
75005 Paris
France
Téléc. : 43.54.39.15

Nous remercions le ministère du Patrimoine canadien et le Con-
seil des arts du Canada de l'aide accordée à notre programme de
publication. Nous remercions également la SODEC, du ministère de la Culture et des Communications du Québec, de son sou-
tien. Lanctôt éditeur bénéficie du Programme de crédit d'impôt
pour l'édition de livres du gouvernement du Québec, géré par la
SODEC.

Première édition : XYZ éditeur, 1991

Pour Sophie et la tribu Ladouceur,
avec toute mon affection.

Être ange
c'est étrange
dit l'ange
Être âne
c'est étrâne
dit l'âne
Cela ne veut rien dire
dit l'ange en haussant les ailes
Pourtant
si étrange veut dire quelque chose
étrâne est plus étrange qu'étrange
dit l'âne
Étrange est
dit l'ange en tapant des pieds
Étranger vous-même
dit l'âne
Et il s'envole

Jacques Prévert

Prologue

Alors moi, s'il y a une chose qui m'écœure dans la vie, c'est ma mère. Elle est nulle. Elle a toujours été nulle. Elle sera toujours nulle. Même si le mot toujours ne veut plus dire grand-chose à son âge. Parce qu'en plus, elle est vieille. Nulle et vieille et moi, je lui en veux à mort. Je ne suis pas encore sûre que je ne vais pas faire une fugue.

Elle mériterait que je fasse une fugue. Mais, je la connais, elle s'arrangerait pour me la gâcher. J'ai déjà abordé ce sujet avec elle, un jour qu'elle faisait une crise pour que je raccroche le téléphone. J'avais dit, *attention, tsé, moi aussi je pourrais fuguer comme beaucoup de monde à l'école*. Elle avait répondu, *en tout cas, préviens-moi ; si tu n'es pas en danger, c'est peut-être pas nécessaire que je lâche les flics après toi*.

Elle est comme ça ma mère, nulle pour le dialogue. Si je faisais une fugue, elle ne me chercherait même pas. Elle aimerait mieux ne jamais me revoir plutôt que d'appeler la police. Les anciens hippies, ils sont tous comme ça. Ma mère, c'est une ancienne hippie. Ils n'aiment pas la police, ils n'aiment pas les psychiatres, ils n'aiment pas les politiciens, ils n'aiment pas l'armée. Tout ce qui met de l'ordre, ils n'aiment pas. *Peace and Love* et *Faites l'amour pas la guerre* et maintenant c'est tout pollué. Sont nuls pour la société.

Même pour l'argent, ils sont pas doués. Des fois, quand ma mère s'inquiète, c'est moi qui suis obligée de l'aider. *Tu devrais travailler plus*, je lui conseille.

— Pour quoi faire ?

— Pour gagner plus d'argent.

— Pour quoi faire ? elle répète.

— Pour gagner plus d'argent.

— Bof, l'argent, l'argent, c'est un symbole.

Vaut mieux entendre ça qu'être sourde.

— O.K. d'abord, donne-moi cent symboles U.S.

Elle est seulement douée pour changer de conversation.

— Écoute, ti-cul, avant d'être enceinte de toi, de l'argent, j'en avais plus que tu peux t'imaginer. Tu veux savoir ce que je faisais avec, hein, tu veux savoir ?

Je dis non, parce que je connais son écœurante histoire et je ne veux rien savoir, mais elle continue.

— Je pleurais parce que je voulais m'acheter de l'héroïne, je prenais quatre mille dollars, j'allais m'en acheter, je pleurais parce que j'en avais acheté, je rentrais chez moi, je jetais toute la dope aux toilettes, je pleurais parce que je l'avais jetée. L'argent, c'est rien quand tu ne sais pas qui aimer. C'est rien quand tu es trop perdue pour apprécier la vie.

Ma mère, c'est une ancienne... hum hum ! Des fois, sans faire exprès, je touche ses bras. Ouach ! Dégueu !

— C'est vrai, c'est moche, mais c'est un détail, elle dit. Qu'est-ce que tu veux, j'avais pas de veines.

Si elle croit que j'ai de la veine, moi, d'avoir une mère comme ça.

— Si tu crois que c'est ça que j'achèterais si j'avais de l'argent. Tu sauras que l'alcool et les autres drogues on n'a pas besoin de ça, nous autres.

— Tant mieux, ma fille.

— Hey! Quatre mille dollars de Converse, de Lacoste, de Benetton, de Polo, de Jacob! Rien que d'y penser, ça me donne des frissons.

— Ça commence toujours par un frisson, elle répond.

Elle est pire que tout. Et ce soir, elle a été pire que pire. Pire à la puissance haine.

Avec ma sœur et les trois enfants des voisins, on rouli-roulait dans la rue. Il était sept heures quarante-huit minutes et treize secondes, le 4 octobre, à ma nouvelle montre. Elle peut aller sous l'eau et elle a un chronomètre, et un petit micro qui permet d'enregistrer des choses brèves comme un numéro de téléphone. Mais elle n'indique pas la température, ni l'humidité relative, ni la vitesse des vents, et encore moins celle des battements de mon cœur. Nulle, la montre.

Tout à coup, je vois un bonhomme sortir de chez Johanne, la fille d'en face, avec une bicyclette sur l'épaule. Je l'ai reconnu tout de suite. C'était le vieux livreur qui travaille au dépanneur, pas celui qui ressemble à mon père, l'autre. C'est vrai que mon père, depuis le temps que je ne l'ai pas vu, je ne sais plus trop à quoi il ressemble. Je me fie à une photo. Un vieux cliché.

J'ai dit aux autres, *c'est la bicyclette de Johanne qu'il est en train de voler*. Ils se sont tous arrêtés de jouer et on était cinq à regarder le voleur descendre péniblement les escaliers. On a attendu qu'il arrive sur le trottoir et puis ma sœur a crié, *elle est à vous cette bicyclette ?*

Il n'a pas répondu. Il faisait semblant de ne rien entendre ; je connais le truc. *Elle est à vous cette bicyclette ?* j'ai crié à mon tour. Et moi, quand je crie, c'est impossible de ne pas m'entendre. Il n'a pas répondu. Il essayait de s'asseoir sur la selle, mais il avait autant d'équilibre que mon oncle Georges le soir de Noël.

— Vous travaillez au dépanneur ? a demandé ma sœur.

Cette fois, il a répondu *oui* et puis il est parti à pied, en poussant la bicyclette, à sept heures cinquante minutes et trois secondes. Ils tanguaient tous les deux dans le soir.

On a appelé, *Johanne ! Johanne !* Deux lulus se sont montrées à la fenêtre.

— Ma mère veut pas que je vous parle.

— Moi, ça m'fait rien, mais le livreur il a volé ta bicyclette.

— C'est pas vrai, elle a dit.

— T'as rien qu'à aller voir si elle est encore là.

Quand elle est revenue dans l'encadrement de la fenêtre, elle m'a fait de la peine, comme si elle était devenue un téléthon à elle toute seule. Nulle, la fille.

Son père a dit, *arrête de brailler, j'vais appeler la police.* Moi, j'ai dit, *chiale pas pis grouille, on va courir après.* Son père ne voulait pas, mais à la fin il a dit, *bon, O.K. Mais courez pas.*

On a couru en rasant les murs. Johanne haletait à la queue, *cou'donc, avez-vous avalé des astéroïdes anabolisants ?*

On se cachait derrière tout ce qu'on pouvait, les poteaux, les voitures, la boîte aux lettres, mais y avait toujours un bout de voisin qui dépassait.

Au coup de fusil, j'ai été la seule à me jeter par terre. Puis je me suis relevée et j'ai hurlé, *idiot ! niaiseux ! cave !* parce que c'était Michel qui avait fait péter son sac de bonbons vide. Il m'a donné un coup de pied, *j'te prête plus mon rouli-roulant.* J'ai dit, *bon, te fâche pas, c'est pas grave, viens-t'en.* Mais en le prenant par la main, je l'ai pincé.

À ce moment-là, une voiture de police est passée. Je lui ai fait signe de s'arrêter. Les autres se collaient contre moi, j'étais obligée de les pousser, *c'est moi qui ai vu le voleur en premier, c'est moi qui parle.*

Les policiers m'écoutaient en me posant plein de questions, le signalement du voleur, où j'habitais et tout, c'était super capotant et j'ai même pu leur donner l'heure exacte à laquelle le vol avait été commis. Le plus beau des deux a dit, *t'es observatrice.* J'ai dit, *ouais.* Puis l'autre, qui n'était pas si mal, a dit à Johanne, *on va aller chez toi pour faire notre rapport.*

Ça l'a fait rire, Johanne et les autres aussi se sont mis à rire et moi, j'étais gênée pour eux. J'ai demandé aux policiers, *je peux monter dans votre auto ?*

— Tu peux marcher, a dit le moche. C'est pas loin.

J'ai marché, mais je ne voulais plus jamais parler aux autres débiles.

On a tout raconté à ma mère. Elle a souri. Elle a dit, *mes petites Fantômettes*, en rêvant aux histoires qu'elle lisait dans son enfance quand y avait même pas la télévision.

Le téléphone a sonné et j'ai gagné ma sœur aux trois mètres avec obstacles. C'était Johanne. Les policiers avaient déjà rapporté la bicyclette et maintenant, ils venaient chez nous. J'ai raccroché et j'ai ouvert toutes les fenêtres.

— Laisse fermé, a dit ma mère. Je suis gelée.

— Justement. Ça sent. Et la police arrive.

On a regardé toutes les trois par la fenêtre. Puis ma mère a fait le tour des cendriers au cas où.

La honte de l'entendre dire aux policiers, *asseyez-vous*, en désignant le banc du piano tandis qu'elle s'éfoirait dans un fauteuil profond comme un épisode de *Chop Suey*.

La honte de l'entendre décliner son nom, prénom, adresse et profession l'air aussi bête que s'il s'agissait de la table de multiplication.

La honte quand elle a pris son *T.V. hebdo* et qu'elle a demandé l'heure au plus beau des deux qui notait mon témoignage et celui de ma sœur.

Et quand il a demandé, *madame, acceptez-vous que vos filles témoignent en cour ?* moi je le regar-

dais droit dans les yeux en pensant, ouiouiouiouioui-
ouiouiouiouiouioui, elle a dit, *non*.

La honte, la honte, la crise de nerfs qui monte,
l'orage, l'odésespoir, l'ovieillesse ennemie. Moi puis
ma sœur, on se regarde, on la déteste, on l'haït, elle
avait rien qu'à pas nous faire, les condoms ça existe,
merde, l'amour ça se protège, crime, et l'avaleur
n'attendra donc jamais le nombre des années ?'Stie.

— Je veux témoigner en cour, c'est ma vie, c'est
moi qui décide.

Elle dit, *non*.

— Je veux dire toute la vérité, rien que la vérité,
je le jure sur la Bible.

— T'es même pas baptisée. Si tu l'étais, tu
saurais que dans la Bible il est écrit, *que celui qui n'a
jamais péché lui lance la première pierre et...*

— *Et sur cette pierre je bâtirai une église.* Je le
sais, qu'est-ce que tu crois ? Pas besoin d'être baptisée pour savoir ça. Je veux témoigner en cour.

— Ça suffit. Au revoir messieurs, elle a dit.

Ils sont partis. Ils m'ont laissée seule avec elle.
Même ma sœur est partie, sans un bruit, dans sa
chambre propre parce qu'elle fout toujours ses co-
chonneries dans la mienne. J'ai allumé toutes les lumières, j'ai mis la radio, la télé, l'aspirateur, le ma-
laxeur au maximum.

— Arrête.

— Non, j'arrête pas. Non, j'arrête pas. T'arrêtes
pas, toi, pourquoi j'arrêterais ? Tu me gâches la vie.
Tu sais ce que c'est, la vie ? Non, tu sais pas. J'essaie
de te l'expliquer, je te donne une chance, mais tu

comprends rien. À cause de toi, ils sont partis, à cause de toi, je pourrai jamais témoigner, à cause de toi, je pourrai jamais passer à *La Cour en direct*. T'es nulle. Nulle. T'as un problème.

— Alors là, tu as raison. C'est vrai, j'ai un problème. Tu veux savoir qui c'est mon problème ?

J'ai claqué la porte de ma chambre, deux fois. Les murs tremblaient. J'ai pleuré, j'ai crié, j'ai donné des coups de poing à mes oreillers, je me suis jetée sur mon lit.

— Arrête ! Elle a rugi, Arrête !

Puis elle est devenue douce comme un rouleau de Cottonelle, *écoute, je trouve formidable que Johanne ait récupéré sa bicyclette grâce à toi, bon. Seulement, maintenant, tu te contrôles, hein ? HEIN ? Tu relaxes tes hormones, comme tu dis. C'est pas croyable cet acharnement. Ce pauvre type, c'est pas un bandit. Tu ne vois pas que c'est pas un bandit ?*

— C'est un voleur. Ah, ah, t'es bouttchée. Bouttchée, bouttchée, bouttchée.

— Tu t'imagines à la barre des témoins en train de le montrer du doigt ?

— Oui, je m'imagine, oui, je m'imagine, justement, je m'imagine très bien.

— Bon, c'est assez. Tu m'énerves. Et arrête de gueuler, ta sœur est couchée. Et pourquoi tu as lancé ses affaires comme ça ? Elle t'a rien fait.

— Voilà, c'est ça, défends-la. On le sait bien, va, tout le monde le sait, tout le monde le dit.

— Quoi ?

— J'te l'dis pas.

— Dis-le. Quoi ? Qu'est-ce que tout le monde dit ?

— Que tu m'aimes moins qu'elle.

Je n'ai plus prononcé un seul mot pour la laisser sur cette note culpabilisante.

Sauf que les anciens hippies, ça culpabilise pas. Je les entendais, elle puis ma sœur, s'embrasser et se souhaiter bonne nuit. C'était horrible. Puis elle a eu le culot de vouloir m'embrasser aussi.

— N'entre pas ! j'ai crié d'un ton sec comme un biscuit soda.

— D'accord. Comme tu voudras. Bonne nuit quand même, ô, toi que j'aime moins.

Alors moi, s'il y a une chose qui m'écœure dans la vie, à part ma mère, c'est l'humour.

I

Bon. Je m'auto détruis ou je me fais couler un bain ? Encore ces maudits choix ? Bergamote aux vertus tonifiantes, Citron aux vertus vivifiantes, ou Mandarine aux vertus purifiantes ? Je cherche Pavot aux vertus anesthésiantes, mais y en a pas. Sous le robinet, je verse une goutte de chacune des vertus disponibles. C'est la purifiante qui fait le plus de bulles. J'entre dans l'eau comme on entre au couvent. C'est bon. C'est tranquille, c'est profond. Ça ramène aux questions essentielles : par où, nom de Dieu, par où se vident mes seins ?

Bientôt, je serai vieille. J'ai bien prévenu mes filles, qu'elles ne se croient pas tout permis. *Si plus tard vous me mettez en foyer d'accueil*, je leur ai dit sans ambages, *je vous casse la gueule*. Elles ont ri. Elles ne m'ont pas crue. Elles ont bien raison. Je suis contre la violence. Tout contre la vie. Elle est violente la vie. Du premier souvenir au dernier, c'est rare qu'on puisse se reposer.

Je ne l'ai pas assez aimée. Ça me fait un peu de peine de dire ça. Elle passe si vite, pourtant. Et en même temps, les journées sont si longues. Enfin. En plus de ce paradoxe, il nous restera toujours la musique et la poésie.

Autour de mon bain
Herbes revitalisantes
Et rasoirs rouillés

Haïku !

Tiens, y a une grosse bulle qui éclate sur mon nombril. C'est Âge d'Or aux vertus terrifiantes.

À plat ventre sur le trottoir, une vieille dame me regarde. Je ne traverse plus ce boulevard. D'ailleurs, il n'y a plus de boulevard. Il n'y a plus rien que ses doigts sanglants qui m'encouragent à m'approcher d'elle. Il n'y a plus qu'elle. Et moi. Ma lenteur et moi.

Je m'accroupis devant elle. Il n'y a plus que ses yeux et moi. Son œil droit, doux comme celui d'un âne, chaud et clair comme de la paille, et son œil gauche qui pleure des larmes de sang sur sa joue.

Elle me souffle en plein visage ses gémissements qui puent la bière. De mes doigts écartés, je soulève sa frange et dégage son front. Elle a des cheveux de nylon, des cheveux de poupée. Je ne sais pas pourquoi ça m'émeut. Peut-être que j'ai six ans tout à coup sur ce trottoir pourri et ma moche poupée à caresser. Y a la morve et le sang de l'enfance, manque plus rien que la pisse.

C'est de son front que le sang coule. Je dis, *là, là*, pour couvrir ses petites plaintes de chien. Alors, elle prend ma main entre ses mains poisseuses et froides et sans cesser de gémir, elle me fait un grand sourire. Un sourire formidable, avec son sang qui abreuve ses rides, avec sa morve qui joue aux stalactites et qui vient se briser sur mon genou.

Je ne crie pas maman, ni rien. Je ne crie pas. Y a des trottoirs au milieu desquels ça ne sert à rien de crier. Vous avez beau chavirer en caressant la tête d'une poupée ivre, y a des trottoirs noirs comme le fond du fleuve et toutes les bouées sont crevées.

Je demande simplement, *ça va, madame ?* Elle répond, *emmène-moi quelque part*.

Debout, elle est plus grande que moi. Je la soutiens d'une main et je me penche pour ramasser, de l'autre, son sac noir. Moi qui étais sortie sans sac justement pour ne rien avoir à porter. Mais après tout, c'est peut-être normal d'être plus lourde au retour qu'à l'aller.

Elle recommence avec son sourire. Je pense à tous les mecs qu'elle a dû faire fondre rien qu'avec ce sourire. À tous ceux qui ont dû lui taper sur la gueule rien qu'à cause de ce regard. Ce n'est pas parce qu'elle est là, ce soir, dégueulasse et vulnérable comme c'est pas permis, qu'on ne voit pas qu'elle a aimé et qu'elle aime encore, le reste du temps, se faire belle et séduire. Ça se voit à son dentier impeccable, à sa veste de laine bouclée, à ses jeans bien serrés sur ses petites cuisses maigres d'ancienne pute, à ses nouvelles bottes hautes en plastique.

— Bon, on marche ?

Elle attire ma tête à elle et dépose un baiser sur mes cheveux.

Je suis soulagée de voir que sa bave est toujours bien coagulée aux coins de ses lèvres.

Bon. Il y a deux restaurants et un hôpital de l'autre côté du boulevard. Il doit faire chaud à l'urgence. Et puis, c'est bien le seul endroit où elle aura le temps de dessoûler avant qu'on nous demande quoi que ce soit.

Un klaxon me fait sursauter. J'entends, *bonsoir*. Deux flics. Je dis, *bonsoir*. Et elle, *maudits chiens sales!* Mais c'est elle qui aboie.

— Besoin d'aide? se renseigne l'autre, pas rancunier. On vous appelle une ambulance?

— Merci, c'est pas nécessaire. Mais ce qui serait gentil, ce serait de nous faire traverser le boulevard en auto.

— Ça, c'est pas possible. Ou bien on appelle l'ambulance, ou bien vous marchez.

Malheureusement, c'est le genre de boulevard qu'on n'a jamais le temps de traverser d'un seul coup, même à jeun. Nous voilà donc pognées en plein milieu, à la merci de n'importe quel chauffard, elle appuyée sur moi et moi sur un poteau.

— Tu sais à quoi elle me fait penser, la couleur de tes yeux? je lui demande. Aux sucettes au caramel que me préparait ma mère quand j'étais petite. Viens, fais attention, on traverse. Le sucre bouillonnant qui s'enroule autour du petit bâton. Et on suce la sucette jusqu'à ce qu'elle devienne brun tendre et qu'on voie le monde au travers. Jusqu'à ce qu'on ait l'impression de sucer un rayon de soleil. Alors, on croque.

— J'm'en rappelle, elle ment.

— Ouais. Et des fois, elle versait le caramel dans un petit coquillage. Ça prenait des jours et des jours à finir parce qu'à cause du coquillage on ne pouvait

pas croquer. On pouvait juste lécher et lécher. Après,
quand le coquillage était vide, on entendait la mer.

— Maudit, elle pleurniche tandis que j'ouvre la
porte de l'hôpital.

Je l'installe dans un fauteuil roulant. Je l'aide à
poser ses pieds sur le repose-pieds. Je la roule
jusqu'aux toilettes, je la mouche, je lui lave la figure,
je lui lave les mains. Le sang se mêle à l'eau au fond
du lavabo.

Je la roule jusqu'à la salle d'attente de l'urgence.
Je lui apporte un café, noir. Je la fais boire parce que
ses mains tremblent.

Quelques cafés plus tard, elle va mieux, elle
envoie promener son fauteuil roulant, elle se mêle de
tout dans la salle d'attente. Elle va s'asseoir à côté
d'une jeune fille. Vingt-cinq, vingt-six ans, le genre
pétant de santé, le genre sportif, qui travaille dans un
camp de vacances, l'été. Elle attend son chum, elle
dit que ça risque d'être long, les radios, le plâtre
peut-être, sûrement.

La conversation est bien engagée. Je lui fais confiance à cette fille. Elle répond avec beaucoup de patience aux questions de mon abîmée. J'en profite,
*bon. Moi, je dois m'en aller. Il est tard et mes enfants
m'attendent.*

Je rentre chez moi. Les enfants dorment déjà.
Sous la douche, je me frotte fort. Je me sèche. Je me
couche. Alors, du fin fond de l'autre chambre, une
petite voix me parvient qui me crie, *bonne nuit, arro-
soir plein de larmes et de lumière.*

C'est pour de bon que je me mets à pleurer.

J'ai de la peine parce que je ne serai jamais québécoise. Voilà. On ne devient pas québécoise. On ne devient rien. Jamais. Que de plus en plus vieux, de plus en plus mou. Ô, mon Dieu, mon Dieu, donnez-nous aujourd'hui notre collagène quotidien. Et puisque Vous en êtes à Vous occuper de nous, pardonnez-nous nos enfances comme Vous pardonnez à ceux qui nous ont enfantés n'importe où. Le masculin étant employé ici sans préjudice mais seulement pour faciliter la compréhension d'un texte déjà assez confus sans en rajouter. Je précise parce qu'il faut faire gaffe. On est surveillé, épié, décortiqué, c'est l'électronique, c'est le progrès, tout se sait, sauf ce dont on risque d'être accusé un jour. Faut faire gaffe. On est analysé, interprété, jugé. Je ne veux pas de problèmes avec certaines féministes.

J'avais une copine convaincue et militante, je l'ai perdue, à cause d'une petite phrase de rien du tout, rien qu'une. J'avais dit, *moi, c'est drôle, enfin, c'est pas drôle, c'est naturel, mais j'ai surtout envie de faire l'amour quand j'ovule.*

— Mange donc *du* marde, elle avait répondu.

Quand je la revois, par hasard, y a plein d'animosité entre nous. D'un côté, je m'en fous mais, de l'autre, ça me fait de la peine. Et de la peine, j'en ai

déjà assez comme ça, quand je me rends compte que
je ne serai jamais québécoise.

Ah, il ne me l'a pas envoyé dire, monsieur le
réalisateur, *ton audition, c'était la meilleure, t'as*
bouleversé tout le monde et le producteur, mais t'as
pas été choisie. Tu comprends, l'infirmière qui aurait
ton p'tit accent français, ça s'peut pas.

Et moi, *pourquoi ?*

Et lui, qui se triture le bouc, *parce que... com-*
ment j'te dirais... faut que l'spectateur soit capable
de s'identifier... et dans nos hôpitaux... bouc, bouc,
bouc... *les p'tites Françaises... on n'a pas... c'est*
ben simple... infirmière... c'est pas une job qu'elles
choisissent.

Et moi, *ah.*

Et lui, *j'peux t'proposer quelque chose d'autre*
par exemple, le rôle muet d'la mère du p'tit malade.

Et moi, *ça s'rait pas très crédible non plus.*

Et lui, *pourquoi ?*

Et moi, *pour rien.*

Parce que les p'tits Français, ils sont pas malades
les p'tits Français, ils sont en bonne santé les p'tits
Français, pas comme les Québécois.

Pauvre type. Et ça se dit réalisateur. Mais qu'est-
ce qu'il réalise ? Que dalle. C'est simple, il réalise
même pas qu'il me fait de la peine. De la vraie. De
celle qui va droit au cœur, profonde comme les trous
noirs que creusent sous terre les racines, qui s'étalent
puis s'enchevêtrent et finalement s'étouffent.

Pourquoi je serais pas une infirmière québécoise,
d'abord ? Hein ? Pourquoi ? Infirmière, d'accord, ça

c'est un mensonge, mais québécoise? Je suis
québécoise. Depuis bientôt vingt-cinq ans que j'vis,
que j'gèle, que j'chiale ici, j'chus québécoise, je
l'jure. La preuve, quand je vais en France, *aloreu
vous aloreu, vous venez du Québèque vous, hé? Ah,
si, si, si, ça s'entang bieng, allez, ça s'entang tout de
suiteu ça s'entang.*

Ah puteu borgneu, je le mords ou je le moreu
pas? Je le moreu pas. Je suis pas uneu chienneu je
suis pas. Ni une p'tite Française. Je suis née d'un
père moitié italien moitié espagnol et d'une mère
moitié polonaise moitié corse, en Algérie, pendant la
guerre. Je ne suis pas une p'tite Française. Déjà le
mot p'tite, ça m'énerve. Je trouve que ça nous mini-
mise, moi et la problématique. J'ai immigré au pays
des géants, je le sais bien, pas besoin de tourner et de
retourner la toise dans la plaie. Est-ce que je me
promène, moi, avec mon mètre à mesurer, *t'es t'un
grand Canadien, toé!?* Franchement. Y fait dur. Et
son rôle muet, je lui dis où il peut se le foutre son rôle
muet ou je lui dis pas? Je lui dis pas. Et d'abord on
dit pas muet, on dit non parlant. Pis on dit pas malade, on dit bénéficiaire, oké? Mal élevé.

C'est un monde quand même, de ne pas réussir à
se faire accepter. Au début, bon, on se dit bon, c'est
normal, je viens d'arriver. On est tout maladroit, on
ne connaît pas les usages, on multiplie les gaffes, la
boule de patates pilées, si ronde, si parfaite, qu'on la
garde pour la fin du repas tant on jurerait une boule
de crème glacée. À la vanille? Avec le steak? Yark.
Savent pas bouffer, des vrais sauvages ces Canadiens.

La gueule qu'on s'attrape quand on goûte, j'aime mieux ne pas y repenser. Et encore, quand le mec qui vous plaît bien vous offre une liqueur et qu'on dit *non, merci, je ne bois pas. T'es sûre ?* Il insiste. *Oui, sûre. Sûre ? Oui, sûre. Certain ? Oui, oui, certain, je ne bois pas. Jamais ? Non, jamais. Jamais ? Non, jamais. T'es sûre ?*

On est sûr de rien quand on est immigrant. C'est le grand tâtonnement, le grand étonnement, le nombre de pharmacies, de banques, de salons funéraires, qu'il y a dans ce pays, incroyable, le nombre de chaînes de télévision, le nombre de jours gris et froids et moches. On n'est plus sûr de rien. C'est le grand questionnement. On est sûr que d'une chose, va falloir s'adapter, on ne sait pas trop comment, on veut apprendre, vite, vite, on sent qu'il faut se grouiller, on ne comprend pas tout, c'est dur pour l'orgueil, on rougit, on se dandine, on s'entortille, on s'excuse, on a de nouveau six ans, on entre en première année. Tous les immigrants sont des écoliers. Les écoliers c'est l'avenir. Donc, les immigrants, c'est l'avenir.

Et voilà, c'est comme ça, syllogistiquement. S'il y en a qui ne sont pas contents, z'ont rien qu'à, je ne sais pas moi, rien qu'à se reproduire, tiens. Faire des flopées et des flopées de petits pas contents comme eux, qui seront peut-être forcés d'émigrer un jour, qui sait ?

De ma France même pas natale, je regarderais à la télé, les yeux pleins de larmes, un reportage sur les camps de réfugiés québécois, ça serait trop affreux, je ne pourrais pas supporter, je me verrais dans l'obligation de les zapper. Mais aux autres canaux, Panama ou Suez, Venise ou Mozambique, ça ne serait pas mieux.

Alors, tout en enfonçant plus profondément encore mon cul dans mon fauteuil et toutes sortes d'aliments sucrés et bourratifs dans ma bouche, je reviendrais à la question fondamentale : pourquoi au juste suis-je abonnée au câble ?

Pour l'ouverture sur le monde, comme ils disent, ou plus poétiquement, la fenêtre ? Tu parles, la fenêtre. Pourquoi pas la porte patio, carrément.

Ouverte sur le suicide, oui. Et bien non, ça n'est pas pour ça pantoutte. C'est bien plus simple que ça. Sans le câble, ma télé ne fonctionne pas. Sans le câble, l'écran se remplit de friture. Ça pue. Le chantage. Il faut oser le dire. Tu payes ou j'te brouille ? Il faut que le monde sache. Cette télé couleur dernier cri marchait parfaitement, au magasin. Une fois dans mon salon, plus rien, que la tempête. Macache l'image, macache le son. Je suis abonnée au câble parce que j'y suis forcée. Voilà la vérité brutale. Voilà ce contre quoi je m'insurge. Je revendique une câblo-sélection libre et gratuite.

Marre de me taire. Marre de n'être qu'un membre, et encore, membre, c'est vite dit, moignon conviendrait mieux. Marre de n'être qu'un moignon de la minorité… de quelle minorité, au fait ? Avec ma peau trop blanche, je ne peux sûrement pas me réclamer de la minorité visible. Alors quoi ? Invisible ? Un moignon de la minorité invisible ? Non. Au secours. Il y a des limites à la minimalisation. J'ai un accent, aigu, c'est pas grave. Je fais partie de la minorité audible, c'est tout. On va m'entendre, donc. Je tiens absolument à faire partie de quelque chose. Après tout, nous, les handicapés verbaux, ne sommes-nous pas des gens comme, n'avons-nous pas les mêmes besoins que, les autres ?

Ah, que n'existe-t-il, à Montréal, un mur haut et épais, piqué de tessons de bouteilles de bière, un mur sale et suintant l'urine, jusqu'au pied duquel chacun pourrait se traîner, pour se lamenter et hurler et maudire la société entière avec son accent respectif et respecté ! J'ai cette envie parfois d'être une vieille pleureuse, de m'arracher les cheveux, de m'écorcher les mains sur ce mur. Pourtant, je peux garantir qu'il n'y a pas de Juifs dans ma famille.

— Pas de Juifs, pas de Juifs. Et votre grand-mère maternelle, une dénommée Rebecca Katz, qui a fui la Pologne pendant la guerre, c'était pas juif, ça, peut-être ? C'était pas juif, ça ? C'était pas juif ? Répondez ! Bing ! C'était pas juif ? Bang !

Qu'on laisse ma grand-mère tranquille. Ma petite grand-mère qui me faisait rire. Il lui manquait un orteil à chaque pied. Aïe ! Pauvre petite grand-mère éclopée. Elle a immigré au Québec à l'âge de quatre-vingt-deux ans. Le 15 février. Je me souviens bien de son arrivée. Il faisait à peu près moins vingt degrés au soleil, venteux et dépressif. Mon père l'avait aidée à descendre de voiture. Par-dessous ses lunettes embuées, elle nous avait examinés, nous, sa famille, qui l'attendions grelottant sur le perron en rang d'oignons. Elle nous avait embrassés un par un.

À sa fille, ma mère, qui pleurait et qu'elle avait embrassée en dernier, elle avait dit, *ma chérie, mon Dieu, comme tu es devenue minable.* Puis elle nous avait tourné le dos et, minuscule sous la neige qui floconnait, éblouie par les grands espaces saint-léonardiens, elle s'était écriée, *c'est beau l'Afrique!*

Ah, comme la neige a neigé. Ah, comme l'Afrique a freaké. Elle est morte deux mois plus tard. Pauvre petite grand-mère sénile. Enfin, maintenant, elle doit bien rigoler. Elle l'a eu finalement le passeport rêvé, le passeport d'apatride. Elle aimait le whisky et la poésie. *Ma petite fille*, déclamait-elle en trempant pour moi un énième susucre dans son alcool, *ma petite fille, quand on est mort on est foutu, les asticots vous montent dessus. Ce sont des vers, ça rime, ça grouille. La famille, ça grouille aussi, mais ça ne rime à rien.*

Le Québec était son quatrième pays. Elle a essayé de s'intégrer au maximum. C'est se désintégrer qu'elle a su.

Quand je dis son quatrième pays, c'est pour être polie. Parce que si je voulais être méchante, hein, je pourrais dire par exemple que le Québec n'est pas un pays. Hein? Je pourrais. Ça fait mal? Nianianiania. J'ai souvent eu mal aussi, au drapeau.

Bon, tout à l'heure j'avais de la peine, maintenant, je suis fâchée, c'est malin. Je vais encore me mettre à baver. Quand je suis fâchée, je bave. Comme un chien enragé. À ce propos, les plus éminents spécialistes se sont perdus en conjectures. On ne les a jamais revus. Wouaf!

Ronge, ronge ton frein, qu'elle me disait toujours, ma mère. Elle, elle se rongeait les sangs à cause de moi, bien que ce soit tout à fait dégoûtant comme habitude. *Adrénaline, tu m'inquiètes, tu sais*, qu'elle continuait, *regarde dans quel état tu te mets. C'est un état normal, ça ? Tu vas te calmer, oui ? Mais calme-toi à la fin. Tu te calmes ? Adrénaline, je te préviens, tu te calmes ou je te fous une baffe. Attention, je te la fous. Je te la fous. Tu es prévenue, je te la fous. Je te la fous ? Tiens, je te l'ai foutue. Pleure pour une bonne raison.*

Ah, maman, maman, maman, maman.

N'empêche qu'il y a deux choses qui réussissent à me faire monter les larmes aux yeux instantanément : une claque sur la gueule et la chanson *Un Canadien errant*.

Si je n'étais pas québécoise, qu'est-ce que je m'en foutrais de ce Canadien banni de ses foyers. Il pourrait toujours en parcourir des kilomètres et des kilomètres de pays étrangers, moi, je rigolerais, tiens. Peut-être même que j'attendrais qu'il soit assis au bord des flots pour lui lancer une pierre dans le dos.

Peut-être pas. Dans le fond, c'est pas tellement mon genre. Si j'ai pensé ça, c'est que je suis jalouse. Je suis jalouse de ne pas être une vieille souche. C'est pas juste. Mon arbre généalogique, ça n'est pas un érable qui s'écoule dans un petit seau, tranquille, avec des traces de pas sur la neige tout autour, non, ça serait trop beau, trop facile d'en descendre, en ligne directe. Mon arbre généalogique provient du croisement d'un tremble et d'un saule pleureur.

L'*immigrantus errantissimus* qu'on l'appelle, en latin dans le texte. Ça pousse dans les sables mouvants. On ne peut en descendre qu'en ligne brisée. C'est triste. Ça donne des fruits qui se font bouffer quand même. Il n'y a rien de logique là-dedans.

Y en a qui disent, *c'est la vie*. Mais c'est pas la vie, c'est la guerre. C'est moche. Y en a qui disent, *chanceuse, t'es citoyenne du monde*. Mais le monde, c'est trop grand le monde, c'est angoissant. *Mais nous sommes là*, qu'ils ont essayé de me rassurer alors, les gentils intervenants, *pour l'accueillir, ton angoisse, et t'aider dans ton cheminement*. Dans cheminement, il y a le mot « mine ». Ça prouve que ça peut sauter n'importe quand. Boum.

A vec un de ces petits outils spécialement conçus pour repousser les cuticules de n'importe quelle femme normale, je décape ma table de chevet. Un pouce carré et quart par jour, les bons jours. Je suis une perfectionniste. À raison de huit, dix, quatorze heures par jour, je prévois en avoir pour des mois et des mois à gratter. Hmm. C'est bon.

J'ai de la chance que ce soit de la peinture grise que je pulvérise et non de la blanche. Le blanc, c'est déprimant. C'est vrai. N'importe quel psy pourra vous le confirmer. D'ailleurs, c'est pour ça que depuis quelques années les murs des hôpitaux ainsi que les masques des docteurs sont verts, pour l'espoir autant que pour la chlorophylle, et les écrivaines informatisées. L'ordinateur a complètement supprimé l'angoisse de la page blanche.

Supprimé également le choix délicat de l'outil de travail. Parce qu'en plus d'être confrontée à la dangereuse blancheur de la page, l'écrivaine de l'ère antélectronique ne pouvait en aucun cas commencer à travailler avant d'avoir choisi son crayon. Question qui peut paraître futile à certaines néophytes, mais primordiale à certaines névropathes, car on ne peut nier que certains crayons viennent avec idées incorporées alors que d'autres non. Et une auteure digne de ce non, justement, ne peut pas se permettre de se tromper.

Alors ce sont des angoisses à n'en plus finir, des cris primaux monumentaux et quand enfin, après avoir fumé six crayons et taillé sa cigarette, notre écrivaine est presque sûre de tenir le bon instrument dans la bonne main, quand enfin, à force d'avoir fixé sa page blanche au lieu de s'être fixée à l'héroïne, notre écrivaine a atteint ce degré de déprime que plus d'une collègue admirative lui envieraient si elles étaient au moins deux, les idées se mettent à fuser.

Il y a tant de choses à dire, tant de mensonges à rapporter, tant de vérités à inventer, pourquoi les autres plutôt que les unes ?

Pourquoi sa triste enfance plutôt que sa désolante maturité ? Pourquoi sa difficile désintoxication plutôt que sa pénible intoxication ? Pourquoi les autobiographies ? Pourquoi ne pas devenir une écrivaine engagée ? Pourquoi ne pas raconter l'existence des autres ? Pourquoi les autres existent-ils ? Pourquoi ?

Pourquoi Amy, mon amie, nous regardait-elle comme ça, l'autre jour, moi et ma table de chevet ? Moi, ma table de chevet, moi, ma table de chevet, moi, ma table, moi, ma table, moi ma ta. *Arrête !* j'y avais crié.

Alors, quoi, on ne peut plus décaper en paix ?

C'est un travail extrêmement minutieux. Malheureusement, les gens n'apprécient pas toujours le travail bien fait. Et d'une totale inutilité. Malheureusement, les actes gratuits sont souvent perçus comme suspects. Même par celles qui se prétendent vos meilleures amies.

Évidemment, de voir ainsi mon moi profond, et les autres, finalement focalisés en une même fusion positive apte non seulement à déstabiliser, si ce n'est à réduire, carrément, l'érosion des barrières entre les phantasmes et la réalité érigées au moment fatidique du stade postanal et au cours de violents conflits familiaux, mais encore à recréer l'espace transitoire imaginatif indispensable à tout être humain ou humaine autodéterminé ou minée à acquérir à la fois et un sentiment d'autonomie relativement satisfaisant et, à propos et entre parenthèses, c'est Ci Dabeuliou Power m.d. qui serait satisfait de voir que j'ai tout bien retenu dans mon in, dans mon sub, dans mon conscient, et bref, finalement, amitié pas amitié, ça fait des jalouses.

Alors, elles reviennent sonner à votre porte, vous sursautez sur votre lit, ça fait déraper votre outil, vous vous décapez un petit morceau de paume gauche, vous criez, *ouais! minute!* et *ouch!* vous vous levez, vous vous enfargez dans le téléphone, ça fait *biiiip, biiiip,* ça dit *veuillez raccrocher*, ça vous emmerde, vous lui foutez un coup de pied, ça resonne à la porte, vous criez, *ouais! minute!* Sous *Mieux vivre, Madame au foyer, Châtelaine, L'Essentiel, Nous, Elle,* et entre *Vous* et *Moi,* vous débusquez votre pantalon, vous vérifiez qu'aucune vieille petite culotte sale ne se cache dans une des jambes, vous n'oublierez jamais la honte, il y a deux ans, rue Outremont, vous étiez sûre que c'était une cochonnerie de papier gras qui ne voulait plus lâcher votre soulier droit. Un papier gras ? Rue Outremont ? Vous sautez dans votre pantalon en rougissant à cette pensée, ça sonne à la porte, vous courez, en remontant votre pantalon vous ouvrez, coucou, c'est les amies. Vous avez l'air d'une fille qui a passé la matinée à se branler.

Elles, non. Elles, elles ont l'air de filles qui ont passé la matinée à penser à moi. Elles sont là, tout sourire, énergiques, efficaces, aimantes et motivées, tenant qui un petit sac en papier brun marqué *Rona*, qui un petit sac en plastique gris marqué *Pascal*, qui un petit sac en poils de *Castor bricoleur*.

N'empêche qu'une après l'autre, je me suis vue obligée, oh, avec tout le tact du monde, bien sûr, à quoi ça sert de froisser ses amies, l'amitié c'est précieux quand même, et puis qui me dit que la prochaine fois elles ne s'amèneront pas avec un petit sac en chocolat marqué *La Brioche lyonnaise* ?

N'empêche que je me suis vue obligée, disais-je, de les leur faire remballer vite fait, leurs pinceaux et leurs bouteilles de décapant.

Je suis une ingrate.

Gratte.

Gratte.

J'ai rêvé que ma mère, tendrement, me caressait la joue. Je me suis réveillée en sursaut.

A : Ah, mais qu'est-ce que je fous ici, les pieds dans le four, le papier sur les genoux, le crayon à la main, factures, café, joint ? Qu'est-ce que je fous ? Où vais-je ? Qui suis-je ?

Un petit gribouillis au verso de ma feuille, deux petits gribouillis au verso de ma feuille, plein de gribouillis au verso, au recto et fripe et lance et merde. J'ai manqué la poubelle.

A prime : La télé dit : *cul-de-sac*. J'ai pas écouté le contexte. Mais je m'en doute.

B : Bon, je ne dois pas passer l'hiver les pieds dans le four. Tu ne dois pas passer l'hiver les pieds dans le four. Elle ne doit pas passer l'hiver, etc. J'en suis rendue à : que n'eûmes-nous dû passer l'hiver, ou quelque chose dans ce genre-là. Mais je ne sais plus où ni quand j'ai perdu le pas.

B prime : Même si je conjugue ma vie à tous les temps, sur tous les modes, manquera toujours le mode d'emploi.

C : C'est pas moi, c'est la télé qui a commencé en parlant de la guerre. La guerre, la guerre, ça court, ça crie, ça saigne. Les secours sont gelés, les esprits surchauffés. Ici c'est un climat tempéré. Il fait bon.

C prime : Je prends ma facture d'Hydro-Québec. J'en fais un beau destroyer en papier. Et si je le foutais dans le four ? Un petit navire de plus qui n'aura jamais navigué.

Oh, yé.

D : Décidément elle fait exprès cette télé. *Une profonde dépression s'abat sur toute la province et sur Montréal plus précisément.* Plus précisément encore et elle va donner mon adresse.

D prime : — Qu'est-ce que tu fais pour Noël ?

— Cette année, moi, je déprime. Crime. C'est la première fois que je vais pouvoir déprimer en paix. Les enfants seront chez leur père.

J'vais me mettre toute nue, j'vais boire du fort, j'vais écouter du blues, j'vais danser. Puis à minuit, j'me dirai rien. J'vais juste plonger dans mon chagrin pour vérifier si je flotte encore.

Je suis un poisson rouge. Je ne sais pas si vous vous rendez compte de ce que cela implique, mais ça n'est pas rose tous les jours dans mon eau bleutée.

Je vis chez Mademoiselle Trocmoche, une vieille, les pieds qui traînent, la bouche sans dents, mais sympathique. En tout cas, facile à impressionner.

Dès notre première rencontre, je l'ai eue au charme. Collé contre la vitre, j'ai crié, *moimoimoi*, et bougent mes nageoires par-ci, et danse ma queue par-là. Elle n'a pas pu résister, *je prends celui-là*. Je n'ai fait aucune difficulté quand il s'est agi de me laisser pêcher. J'ai carrément sauté dans le filet et ça a permis à Jo, le grand nono, de croire en son habileté.

Nous sommes sortis, Mademoiselle Trocmoche à pied et moi dans mon sac en plastique. Elle me tenait du bout des doigts de peur de m'abîmer. Moi, je me tenais tranquille. Petite promenade chaotique en autobus et tout le monde qui s'exclamait, *qu'il est beau !* en parlant de moi.

Nous sommes arrivés chez elle. Une chambre à tout faire d'une banalité à vous couper les branchies. Contre le mur, près de l'unique fenêtre habillée de frous-frous et entre la table et la télévision, m'attendait mon aquarium. J'ai plongé dedans dès que

Mademoiselle Trocmoche a ouvert mon sac. Elle s'est assise juste en face de moi, dans sa chaise berçante pour mieux rêver. Moi, j'ai visité.

L'eau était bonne. J'ai fait deux ou trois longueurs et autant de profondeurs. Mon aquarium mesurait à peu près quinze queues par huit. À bâbord, le filtre. Juste assez espacé de la vitre pour que je puisse en faire le tour. Devant le filtre, pour le cacher, une plante. Yeark. J'ai craché la feuille que j'avais eu l'intention de manger. Elle était en plastique.

À tribord, rien. Ou plutôt si : la tête de Mademoiselle Trocmoche, ronde comme un hublot.

— Il ne faut pas manger la jolie plante !

Bon, ça commence. Viens me dire quoi faire dans mon aquaroyaume.

— Si tu as faim, je vais te nourrir.

Elle m'a lancé une pincée de nourriture synthétique qui n'aurait pas alourdi la silhouette d'un néon.

— C'est bon ?

J'ai fait le mort. Puis comme au lieu de s'inquiéter elle s'est endormie, j'ai fait demi-tour.

À bâbord, une maison de plâtre verte avec un toit bleu et une porte beaucoup trop petite pour moi au-dessus de laquelle on pouvait lire, en lettres dorées, le nom de Tom Sawyer. Allez savoir pourquoi. Enfin, ce qui compte, c'est d'avoir un toit, pas nécessairement d'être dessous.

Combien faut-il de psychiatres pour changer une ampoule ?

Rien qu'un, mais il faut que l'ampoule veuille vraiment changer.

J'avais froid, tellement froid en attendant l'autobus que je m'étais mise à pleurer. Un gros chagrin comme on n'en sanglote pas souvent dans une vie. Je ne pouvais plus m'arrêter. Au contraire, ça empirait. Voilà que je m'étais mise à trembler et à claquer des dents et finalement à prier, de peur de mourir là, sans avoir tenté quoi que ce soit.

— *Mon Dieu, je Vous en supplie*, je Lui disais comme ça, pleine de ferveur et de foi, *faites que je ne sois pas obligée de passer toute ma vie au Québec. Ça fait longtemps que je gèle, mon Dieu, ayez pitié. Faites que je ne sois jamais une petite vieille qui se dépêche pour traverser le boulevard, à un mètre à l'heure, par moins vingt degrés. Oh, mon Dieu, ce serait trop affreux, mes pauvres jambes maigrelettes et glacées comme deux stalactites.*

Il m'a entendu. Croyez-le, croyez-le pas, je m'en fous, il s'est manifesté, une heure plus tard — c'est rapide quand même pour un Dieu — chez moi, par le truchement de la télé devant laquelle je m'étais pelotonnée, sous deux couvertures, une tasse de citronnade brûlante posée sur mon ventre.

Des cadavres de différentes nationalités jonchaient le petit écran, tandis qu'une voix grave et *off* me racontait la guerre du Golfe. Et puis l'émission avait été interrompue pour laisser la chance aux bien vivants d'aller pisser et aux commanditaires, nos pères à tous, de s'exprimer, et c'est là qu'Il m'était apparu, durant la pause paraboles.

Il avait pris les traits d'un petit couple épuisé qui, au sortir (tard) du travail (plate), se retrouvait, sur le trottoir et sur fond de klaxons, de coups de freins et autres bruits heavy métalliques, frigorifié (comme moi) et les quatre pieds dans la slotche. Et puis tout à coup, la musique avait changé — c'est toujours par la musique que les choses changent à la télé — pour un petit air de ukulélé et, dans un fondu déchaîné, notre petit couple avait été propulsé, tout pâle et tout habillé, sous les palmiers. *Ça alors!* qu'il se disait, le petit couple étonné. *Qu'est-ce qu'on fait là?*

Pauvre petit couple! je leur ai crié alors, moi, tout en sachant qu'ils ne pouvaient pas m'entendre, car je n'ai pas, et de toute façon elle n'est pas encore vraiment au point, la télé interactive. *Pauvre petit couple naïf, vous ne savez donc pas qu'il n'y a pas de réponse à cette question là?*

Mécréante que je suis. J'ai honte aujourd'hui.

Eux deux, à force de s'écarquiller les yeux pour essayer de comprendre, avaient fini par apercevoir un autre couple, plus âgé cependant, mais qui leur ressemblait étrangement. Qui leur ressemblait même tellement que... *mais... mais... mais...* avait demandé notre petit couple éberlué aux deux autres bronzés, *mais vous, mais vous, mais vous êtes nous?*

C'était dur à suivre, mais quand même, j'ai tout bien écouté.

— Hé oui, avait répondu le couple âgé, certes, mais néanmoins détendu, hé oui, nous sommes vous quand vous aurez cinquante-cinq ans.

— Mais, mais, continuaient les deux autres à bêler, on vit ici ?

— Tous les hivers.

— Mais comment on a fait pour se payer ça ?

C'est là que dans Sa grande bonté, Il m'a éclairée, c'est là que j'ai tout compris, comment il fallait agir, tout ça, dans la vie.

J'ai claqué des doigts, j'ai dit, *merci mon Dieu pour ces trente secondes si tant tellement détermi- nantes*, j'ai fermé la télé et je me suis mise sérieu- sement au travail. Et voilà. Mon faux certificat de naissance a l'air plus vrai que vrai. Et je ne suis pas mécontente de la lettre que j'ai rédigée et qui va me permettre à moi aussi, y a pas de raison, de pro- fiter.

Montréal, 13 février 1991

Chère London Life,

Comme vous pouvez le constater sur le certificat ci-joint, j'aurai 55 ans dans peu de temps. Je vous prie donc de bien vouloir me faire parvenir mon billet d'avion pour deux personnes sans plus tarder. Merci et félicitations pour votre programme « Liberté 55 ».

Et voilà. Bien torché. J'ai toujours eu du talent pour m'exprimer. Pourtant, ma langue maternelle ça n'est pas le français mais le silence.

J'ai trouvé un paquet de cigarettes. Dessus, il est écrit : *Le non-usage du tabac réduit l'espérance de mort.*

Heavy !

L'homme brun m'appelle *Tsstss*, il dit se prénommer Mike. Petit et trapu, les cheveux et les yeux noirs comme des olives, il a plutôt l'air d'un Miguel, d'après moi. Il porte des chaussures brunes, un pantalon brun à rayures vertes, une chemise grise ouverte sur une forêt à l'orée de laquelle luit une croix, et un chapeau de laine multicolore bien qu'il fasse au moins quarante degrés sous cette musique Reggae.

— Je m'appelle Marie, je l'informe.

— ¡Aïe, María ! ¡María, María, María !¡!

— Tôny, Tôny Tôôôny ! j'ai presque envie de lui répondre, wirrnot in *West Side Stôrrry*.

Il est cuisinier et veut m'épouser tout de suite. Il me protégera, se tiendra toujours derrière moi, une main sur mon épaule, jusqu'à ce que ma mort nous sépare. Une femme a besoin d'un homme ; les enfants ont besoin d'un père et j'ai de la chance, justement, il adore les petites filles. Tout seul au Canada, il s'ennuie de ses sœurs, de sa mère, de son pays. Il faut que je reparte avec lui pour les rencontrer toutes, Noël prochain.

Il est partout à la fois. Sur mon cou, je sens son murmure, *pourquoi, María ? Pourquoi tu es si méchante avec moi ? Pourquoi les Canadiens sont toujours froids ? Toujours seuls ? Les femmes seules,*

les hommes seuls, pourquoi ? María, María, ven
conmigo ; viens dans ma maison.

Il a des larmes dans la gorge, dans les yeux,
presque dans mon verre. Ses longs cils noirs battent
une triste histoire. *Regarde María, regarde ce que tu*
me fais, dit-il en fixant sa braguette. Je suis en train
de détruire l'équilibre de cet homme. Bizarre. *Tu es*
une lesbienne, c'est ça, hé, María ? María ne peut
s'empêcher de marcher vers le bar.

L'homme blanc s'appelle Pierre. Il porte des
bottes noires, des jeans serrés, un col roulé blanc et
une veste de cuir. Autrefois, il avait une femme et des
enfants, mais maintenant, il a choisi la liberté. Toutes
les cinq minutes, je dois l'excuser, *la bière, tu com-*
prends. Je ne veux pas comprendre.

Lui ne veut aucune attache et essaie d'éviter
l'amour. Deux fois par an, au moins, il voyage au
Club Med d'Haïti ; il a un magnétoscope à trois di-
mensions, une auto de l'année prochaine, des tendances bisexuelles et plusieurs projets excitants qui
lui permettront, sous peu, d'exploiter ses talents com-
merciaux et artistiques. Une relation légère avec une
femme propre et indépendante, voilà ce qu'il lui faut.

— María ? Ça pue l'italien. J'vais t'appeler Marie.

— Pourquoi « pue » ? demande Marie.

— Façon de parler. J'aime pas les Italiens ni les
Noirs ni les Juifs.

— J'ai de la chance ; j'suis québécoise. Pure
acrylaine.

— Ouais. Ah, ah. Tu m'plais toi, et j'te f'rai pas
mal si tu viens chez moi. En autant qu'tu pars tout de

suite après. J'aime me réveiller seul. Pense à ça. Ça s'ra pas long.

Au retour de la salle de bains, il y a de la poudre blanche sur le bout de son nez d'égoïste. Il avale sa bière et rote, *puis t'es prête ?*

— Combien tu payes ? je demande. Il s'éloigne. En renversant une chaise.

Ali, c'est l'homme noir. *Mademoiselle, je peux avoir l'honneur de danser avec vous cette danse ?* Son sourire me réchauffe alors que je m'envole sur un air de salsa. Ça y est, je suis à la plage ; j'entends les vagues et le bruit des glaçons dans un verre de rhum local et efficace.

Ses cheveux sont tentants comme de la barbe à papa. Il n'a pas les orteils dans le sable, mais dans des souliers vernis noir et jaune parfaitement assortis à son chapeau jaune et noir. Son chandail rouge ne couvre pas tout à fait la douceur de son ventre.

Quand la salsa elle-même est fatiguée, il prend mon manteau et me montre la porte.

— Mademoiselle, s'il vous plaît. Maintenant, nous faisons l'amour. Je vous remercie.

Il ne comprend pas pourquoi je récupère mon manteau et m'assieds. Que va-t-il raconter à son cousin qui, tout seul à la maison et si triste, comptait sur moi, lui aussi ? Appuyé sur sa canne de bambou, il sort en boitant.

Les hommes jaunes viennent par trois. Ils me rassurent tout de suite. Chacun a un condom made in Taïwan soigneusement rangé dans sa poche.

— Hier le Yi King a dit : *L'homme sage rencontre la lune*, déclare Zui.

— Ce matin le Yi King a dit : *L'homme supérieur laboure la terre fatiguée. Pas de blâme*, promet Tong.

— Ce soir le Yi King a dit : *Pendant et après les labours, gardez le saké chaud. Pas de commentaire.* Ça c'était Phem.

Bon, moi je m'en vais. Mais, quand même, ça serait bien si je rencontrais un extra-terrestre bleu au détour d'un chemin.

Pendant des mois, je me suis promenée en pensant : je voudrais que quelqu'un m'aime. Je voudrais que quelqu'un tombe en amour avec moi. Pas juste quelqu'un ou n'importe qui, mais un homme. Un homme qui laisserait mes lèvres s'égarer sur sa peau. Un homme qui m'ouvrirait ses bras chauds.

J'ai rencontré cet homme et après quelques jours follement passés à faire l'amour, nous étions encore au lit.

— Mmm ? J'ai demandé en souhaitant une tendre réponse.

— Je fais des mots croisés.

J'ai attendu. De temps en temps, il me souriait, *je suis bien ici, avec toi.* Mais aussitôt, il retournait à ses mots croisés. J'ai attendu que les journaux aient transpiré toute leur encre. Quand les draps furent complètement noirs, moi je n'en pouvais plus. Il fallait que je sois franche avec lui. Il le fallait si je voulais que notre relation dure le moindrement. Il fallait que je lui demande, *c'est ça avoir un amoureux ?*

— Qu'est-ce que tu veux dire ?

— Est-ce que je dois, pendant des jours, te regarder dans mon lit, faire des mots croisés et me sentir comblée ?

— Je ne sais pas moi. Tu fais ce que tu veux.

— Je ne peux pas.

— Pourquoi ?

— Parce que ce que je veux, c'est faire l'amour avec toi.

— Encore ?

— Hé oui.

— Mais on ne peut pas passer tout notre temps à faire l'amour. Il y a d'autres choses à faire, tu sais.

— Pour qui tu me prends ? Bien sûr que je le sais. Mais les autres choses, je les fais quand tu n'es pas là. Quand tu es là, j'aime autant qu'on fasse l'amour.

— Un. Horizontal. Onze lettres. Exagération des besoins sexuels chez la femme.

J'ai dit, *tu m'emmerdes. Laisse-moi passer.* Je suis allée à la cuisine.

— Qu'est-ce que tu fais ? il a crié quand il s'est aperçu, longtemps après, que je ne revenais plus.

— Je mange un steak tartare.

— Alors, on se défoule sur les cadavres ?

— Qu'est-ce que tu crois ? Je ne suis pas végéta-rienne, moi. Je ne me contente pas de substituts.

— Là n'est pas la question.

— Oui. Là est la question. Toi, tu bois du substi-tut de café, tu manges du substitut de pâté, mais tu me fais l'amour avec des végémotions.

Je suis retournée dans la chambre. Il y avait de l'œuf qui me coulait sur le menton.

Je n'ai pas aimé le regard qu'il m'a lancé en disant, *qu'est-ce que je suis ? Qu'est-ce que je suis pour toi ? Un phallus ?*

— Écoute, je ne veux pas te blesser, mais qu'est-ce que tu as que je n'ai pas ?

Alors il est parti. Moi, je me suis couchée. J'ai phantasmé. Des phantasmes énormes. Des éléphantasmes.

— Ouash ! T'as vu dehors ? Yash !
— QU'EST-CE QUE TU DIS ? J'ENTENDS PAS.

— Et merde, avec ces maudits travaux, on est toujours obligée de hurler. VIENS, VIENS VOIR COMME C'EST MOCHE. Tout autour de moi, moche.

— Tu te trompes, c'est pas si mal… les seins, les fesses…

— Ah, ne me touche pas, obsédé. Regarde plutôt dehors. Qu'est-ce que tu vois ? Tu vois des couleurs ? Et si oui, lesquelles ?

— Attends, je vois du… gris, foncé et pâle, du… brun, et… du vert.

— J'te crois pas. Du vert ? C'est pas possible. Où ça, du vert ?

— Là. Juste là. Ah, ben non, ah ben merde, il est passé au rouge. Bon, tant pis.

— QUOI ? QU'EST-CE QUE TU DIS ? Non, j'te jure, Montréal, c'est agréable pendant les vacances de la construction. Le reste du temps, c'est l'horreur. Et s'il n'y avait pas les Montréalais, avec leur patience, leur entêtement, leur non violence, je ne voudrais jamais y mettre les pieds. En tout cas, pas l'hiver. Ni l'été. Ah, l'été ! L'été, dis donc ! Qu'est-ce

qu'il fait bon s'étendre à l'ombre d'un parcomètre !
Qu'est-ce qui reste ? L'automne. T'as déjà vu une
grue perdre ses feuilles ? Le printemps, alors ? Ouais,
pas mal le printemps, après la slotche. Ouais, le
printemps, pour l'étonnement. Du deux au cinq mai.
Parce qu'après, hein, on se tanne. Rue Saint-Denis,
du Vieux à Mont-Royal et retour et aller et retour et
allez, un autre arrêt terrasse, un autre Perrier sans
plomb, une autre tarte aux ondes. Yash ! Yash ! Yash !
Au secours !

— Je suis là, mon amour. Ça va passer. Regarde
le beau petit chèque que le facteur nous a laissé. Je te
coule un bain, mon amour ? Lance une cenne noire
au fond de l'eau. Fais un vœu.

— J'fais le vœu d'arrêter de chialer.

II

Sachant que la vitesse de propagation du son est égale, dans l'air et à zéro degré Celsius, à trois cent trente-deux mètres seconde ; sachant que j'avais plus ou moins vingt ans, que j'étais loin au-dessous de zéro, mais qu'il faisait extrêmement chaud dans la pharmacie ; sachant que ma main tremblait dans celle de mon amour ; sachant qu'une vitre d'une épaisseur de deux millimètres, un comptoir d'une largeur de vingt virgule cinq centimètres et x centimètres cube d'air séparaient mon oreille de la bouche du pharmacien quand il a dit, d'un air contrit, *le test de grossesse est positif*, calculez :

Petit un) En microsecondes, le temps qu'il m'a fallu pour arrêter d'être junkie ;

Petit deux) En mégatonnes, la force du choc.

Je m'appelle Pascale parce que je suis née le jour de Pâques et c'est la seule chose de logique qui me soit arrivée dans la vie. Mais, comme dirait mon père, mon père limpinpin comme la poudre du même nom qui ne sert à rien, qui ne vous rend pas forte ni invisible ni rien, ça ne peut pas toujours être Noël. Ça tombe bien d'ailleurs, car je n'aime pas Noël. Les petites boules, les guirlandes et tout le bataclan, la famille qui s'étreint en chantant *Gin gueule bêle*, ça me dégoûte. Plus les gens sont gentils, plus ils me dégoûtent. Moins je peux le leur dire. Je n'aime pas faire de la peine. Je n'aime pas les gens. Je n'aime pas les fêtes. J'aime seulement l'héroïne et la mort.

Personne ne m'a entraînée. Je suis une autodidacte. Plus tard, quand mes petits-enfants viendront me voir, je pourrai leur chevroter d'un air fier, je me suis défaite toute seule. Ah, ah, ah. Qu'est-ce qu'on s'éclate.

Je suis une autotomate. Autotomate vient du mot autotomie : mutilation réflexe d'une partie du corps chez certains animaux pour échapper à un danger, et du mot automate : toute machine animée par un mécanisme intérieur. Une autotomate n'est donc en aucun cas une auto qui à minuit tapant se transforme en tomate, mais un mot que j'ai inventé pour tenter de me définir, moi qui suis finie.

Je n'aurai jamais d'enfants. Premièrement, parce que je ne suis plus menstruée ; deuxièmement, parce que je ne veux plus jamais baiser. Alors, bien malin celui qui m'engrossera. Ce n'est pas moi que l'on verra écartillée dans les cliniques d'insémination artificielle. Leurs artifices me dégoûtent tout autant que leur sexe. Et je me méfie des docteurs comme du sida. Avant, on disait se méfier de quelque chose comme de la peste. Les temps ont changé, mais la méfiance ne diminue pas.

J'ai mille ans. Il y a des sceptiques. Ma mère, entre autres. *Ma pauvre chérie*, elle se lamente, *qu'est-ce que tu racontes, tu n'as pas mille ans, tu as seize ans, seize ans*. Elle pleurniche, elle se répand partout sur mon certificat de naissance. Je ne suis ni pauvre ni chérie. Et je me fous de ne pas être crue. Dès le départ, j'ai su que j'étais cuite. Intérieurement. Dans le fond, c'est moi le premier repas micro-ondes.

Le four, c'était son ventre à elle. J'avais fait toute une histoire quand elle avait voulu m'exproprier. *Qu'à cela ne tienne*, avait dit le docteur en empoignant les fers et en se mettant à tirer. Et tire, et tire, tant et tellement qu'il m'a tout écrasé la mâchoire. Sans lui, j'aurais eu une bien plus grande gueule.

D'une main, il avait ensuite agrippé mes chevilles et je m'étais retrouvée tête en bas, dans la position du pendu, comme un vulgaire arcane majeur dans un jeu de tarots truqué. De l'autre, il m'avait

envoyé ma première baffe. Respire petit bébé.
Adapte. Je m'étais mise à pleurer, forcément. *Elle est*
normale, elle est normale, ils s'étaient tous extasiés
alors, tandis que le docteur s'en lavait les mains. *Que*
tu es belle quand tu pleures, m'avait murmuré ma
maman.

Maintenant, je ne suis plus très belle et c'est elle
qui pleure. Et mon père. Et mes frères. Et mes sœurs.
Alouette. Je me piquerai.

Ce fut une erreur de ma part, je n'aurais jamais dû manger cette fleur. Ça ne se fait pas. C'est mal vu quand on n'est pas mouton. Mais j'avais froid et dans la pièce trop blanche, elle était la seule source de chaleur entre le docteur et moi. S'il y avait eu un foyer, j'aurais bouffé les braises.

De temps en temps je disais, *oui, docteur. Je veux coopérer. Je veux participer. Je ne veux plus mourir, ah, ah*, mais j'avais hâte qu'il en finisse avec son discours long comme une nuit sans drogue.

J'ai entendu, *dehors ? Fins de semaine. Travail fixe ?*

C'est là que le premier pétale s'est détaché. Je ne l'ai pas arraché. J'étais en train de le caresser, c'est tout. Il m'est resté entre les doigts. J'ai dit, *oui. Dans un ascenseur. En haut, en bas. En haut, en bas. Ça ne me changera pas beaucoup. J'ai hâte de commencer.*

Il n'y avait rien à ajouter. J'ai mangé le pétale. Je ne sais pas ce qui m'a pris. D'habitude, je fais ça en privé, la nuit, quand toutes les fleurs sont sorties et que je peux rôder dans des couloirs qui sentent presque la liberté.

J'ai regardé le docteur ; il restait impassible. J'ai regardé la fleur ; il restait huit pétales. J'ai eu un peu

honte parce que les fleurs préfèrent les nombres im-
pairs, alors j'ai mangé un autre pétale pour rétablir
l'équilibre. Ça n'a rien arrangé, mais je ne voulais
pas pleurer. J'en ai mangé un troisième. Je ne pouvais plus m'arrêter.

Je savais que le docteur m'observait. Planqué
sous son serment d'hypocrite, je savais qu'il me
jugeait et qu'il attendait que j'arrive aux épines. J'ai
crié, *je ne les mangerai pas !*

— Allons, allons, ne nous agitons pas.

Mais c'était trop tard.

— C'est bon. Nous allons dormir.

Il a dit ça pour me punir, mais moi je m'en fous
parce que c'est quand je dors que je fais le moins de
cauchemars.

Papa met l'horloge à l'heure
Maman fait du tricot
Et moi je suis junkie
Chacun ses petits travaux d'aiguille.

Une doudou en nylon maigre, quelques vête-
ments, une boîte de crayons de couleur et un
cahier secret, ça ne pèse pas lourd, mais quand un
homme entasse le tout dans un sac à dos et vous le
lance, de toute la force de sa colère, en plein dans le
ventre, ça fait mal. En même temps, comme en
pleine nuit un orage électrique, c'est fou ce que ça
éclaire : je devais partir.

Il a attendu que je lui tourne le dos, que j'aie la
main sur la poignée de porte pour me dire :

— Tu ne reprends pas ce que tu m'avais
confié ?

À part mon amour, mon argent et ma virginité
qui ne peuvent pas se reprendre, je ne voyais pas de
quoi il…

Il souriait en brandissant ma vieille seringue.

Je me suis retrouvée sur le trottoir avec la vie
devant moi et tous ses choix : le nord, le sud, l'est et
l'ouest. J'ai pensé qu'avec le sud je ne pouvais pas
me tromper.

Des crampes me mordaient l'estomac. J'ai fait
semblant de croire que c'était parce que je n'avais
pas encore déjeuné. Depuis que j'avais recouvré la
santé, j'avais faim au moins une fois par jour. Il faut

bien qu'il y ait des inconvénients à n'être pas droguée. Je suis entrée au *Vieil Acropolis*.

— Deo baklavas, ena café, j'ai commandé en grec simultané. Pas nécessaire de me faire remarquer. Puis, pour réfléchir en paix, je suis allée m'asseoir au fond, près des toilettes, et au-dessous des testicules d'un dieu qui s'appuyait sur une colonne en ruine.

C'est bien bon pour la compensation, les baklavas, mais allez donc réfléchir pendant que deux types se disputent, au baby-foot, une partie déchaînée. J'entendais la balle se cogner contre leurs petites jambes de bois. J'ai bien essayé de mettre de la musique, j'ai appuyé n'importe où sur le clavier du juke-box, c'est Julio Iglesias qui a gagné. Y a des journées comme ça, imbuvables, comme le café grec après deux ou trois gorgées quand ça devient épais. Et puis « Cochta » ou « Chrichtoch », les footballeurs se ressemblent tous, s'est mis à crier, *shoot! shoot!* Je n'étais pas forcément en état d'entendre ça, alors j'ai payé et adiosas, j'ai quitté le *Vieil Acro*.

Un rayon de soleil pointu comme l'aiguille que je pouvais sentir tout au fond de ma poche m'a aveuglée.

J'ai loué le numéro trois. Pas tellement parce que l'immeuble se nommait pompeusement *Le Château*, mais plutôt parce qu'il était situé tout près du carrefour le plus intéressant en ville : deux banques et deux pharmacies, autant dire un rêve pour quelqu'un qui aime jouer aux quatre coins. J'ai vu la pancarte, *Room to let, ask n. 2*, je suis entrée.

Il faisait sombre dans le long couloir. Ça s'en allait à droite vers un escalier qui montait. J'ai pris tout droit, jusqu'au fond. Il y avait un autre escalier.

— Que c'est qu'à cherche, la p'tite catin ?

Il se tenait en haut des marches, accoté sur la rampe, un vieux bonhomme. Il n'y avait personne d'autre que lui et moi, la p'tite catin c'était moi, alors j'ai dit, *le numéro deux*.

Il m'a répondu, *c't'en plein moi-même*. J'ai avancé mais je suis restée en bas des marches.

Assis sur une chaise en paille, les pieds posés sur une caisse de vingt-quatre, (ou de vingt-trois, deux, une ?) il était vêtu d'un caleçon long et d'un tricot de corps que j'aurais trouvés blancs si j'étais passée le mois précédent. Sous son ventre, il portait une ceinture à laquelle étaient accrochés des clés, un canif, et un ouvre-bouteilles.

— Vous avez une chambre à louer ?

— T'es t'une p'tite Française, toé, il m'a affirmé.

J'avais prononcé six mots exactement. Suffisants pour me faire repérer. J'ai dit, *ouais, mais je me soigne*.

Il s'est levé. Il a enjambé sa caisse en maintenant tant bien que mal son index devant son nez et ça faisait plaisir de voir que je n'étais pas la seule à rechercher l'équilibre à tout prix.

Je l'ai suivi quand il a avancé d'à peu près six pas et nous nous sommes retrouvés devant la porte numéro trois.

— T'as l'poêle pis l'frigo pis la douche toutte fourni chauffé meublé.

J'avais hâte de me rendre compte par moi-même, mais malheureusement l'ouvre-bouteilles n'entrait pas dans la serrure et ça nous a retardés.

Finalement, nous sommes entrés et Numéro Deux s'est précipité à la fenêtre.

— Gua les belles draperies à grosses fleurs, qu'il a dit. Ça te r'monte un moral, ça, ma chouette, en hiver.

Je me suis imaginé la chouette à fleurs vertes et à fleurs jaunes perdue dans le bois en plein hiver, arrivant à peine à chuinter, les cordes vocales complètement gelées. Ça m'a donné la chair de poule, son image, ou alors c'est ce que j'ai vu derrière lui quand il les a ouvertes, les draperies : un gros coq Saint-Hubert, si bien que j'aurais jamais besoin de réveil. De toute façon, qui a envie de se réveiller ?

Il a tapé sur le matelas et les yeux rivés sur mes seins il a fait, *là, là, là, t'as l'lit, là*. Mais je n'ai pas vocalisé avec lui.

J'ai ouvert la porte du placard, c'était la salle de bains. Je suis entrée de côté et après m'être cogné la hanche sur le lavabo et le genou sur la toilette, j'ai visité la douche. J'ai vite refermé le rideau parce que je ne suis pas voyeuse et même une coquerelle ça aime son intimité.

J'ai dit, *c'est parfait*. Alors on a parlé du prix, du bruit et tout, je lui ai payé la première semaine et puis je suis rentrée chez moi. Maintenant, j'étais chez moi et plus personne ne pourrait m'emmerder. D'ailleurs, il n'y avait personne.

J'ai fermé les draperies et, après avoir retourné le matelas, question fraîcheur, j'ai installé ma doudou dessus. Elle était brune d'un côté et marron de l'autre alors ça n'a pas rendu la chambre tellement plus gaie. Je me suis assise quand même pour vider mon sac en me remémorant toutes les fois où ça m'était arrivé, au sens sale et défiguré.

Et bien, et bien, je me suis dit, un petit chez-soi ça s'arrange. Puis j'ai entendu des cris et des rires et la voix nasillarde de Numéro Deux dans le couloir. Par un petit trou percé directement dans la porte, j'ai pu l'apercevoir, sa caisse dans les bras, au moment où il rentrait chez lui accompagné d'une couvée d'enfants. Il a fermé sa porte et je n'ai plus rien vu sauf le chiffre 2 avec, au-dessous, le dessin d'une maison aux fenêtres grillagées et un petit chien ? cheval ? vache ? qui pissait sur une fleur. Sacré Numéro Deux, il avait plein d'amis.

Et bien, et bien, je me suis dit, une atmosphère ça se crée. Je me suis roulé un gros pétard pour oublier. Ça a si bien marché qu'à la deuxième bouffée, je ne savais plus ce qu'il fallait que j'oublie. J'éteignais les petites boules de feu au fur et à mesure qu'elles touchaient ma robe. Je m'amusais bien.

Mais bon, j'avais plein de choses à faire. J'ai ouvert toutes les armoires de la cuisine. Tiens, la coquerelle avait fini de se doucher. Elle mettait la touche finale à sa toilette. J'ai eu l'impression qu'elle se préparait un petit party, ou tout au moins une réunion. J'ai attendu ses invitées, puis j'en ai écrasé quelques-unes juste pour gâcher leur soirée. Des fois, je suis comme ça, le mal pour le mal, par plaisir et par perversité. J'ai fait un petit tas des cadavres avec pensée attendrie sur la fragilité de toute vie, à part la mienne, bon.

J'avais plein de trucs à m'acheter. Avant de sortir, et du bout des doigts, j'ai déposé la seringue près de l'hécatombe.

Une heure plus tard, je mettais de l'eau à bouillir pour mon premier café, dans mon premier chez-moi, ma première soirée. Dommage qu'il n'y ait eu personne pour rentrer, les mains dans le dos, mais avec des petits bouts qui dépassent :

— Bonsoir chérie. Quelle bonne odeur.

— Oh, mon amour, des fleurs ! Il ne fallait pas.

— Mais si, mais si.

— Mais non, mais non.

— Mais si, mais si.

— Mais non, j'te dis.

Bing ! Bang !

— Ouch !

— Tu peux pas dire merci ?

Et voilà, la chicane a pogné. Il n'y a pas de communication possible entre les hommes et moi.

J'ai voulu noter tout de suite, dans mon cahier, une bonne résolution que je venais de prendre, même si on n'était pas le premier janvier :

Je ne veux plus jamais qu'on m'aime !!!

Et voilà. Et je m'en fous s'il y en a pour dire qu'il ne faut jamais dire jamais. Moi je dis qu'il y a des négations qu'on peut affirmer, comme il y a des tas de raisons positives d'être négative et ceux qui prétendent le contraire sont des naïfs. Mais je ne vois pas pourquoi je m'énerve puisque je ne montre mon cahier à personne. Et il faut posséder la petite clé froide pour l'ouvrir. Sinon, je les vois venir avec leurs gros sabots qui ne sont pas dondaine ni d'adon :

— Dis-donc, mais, mais, mais, mais il est plein de symptômes ton cahier !

Et alors ? Il faut être prudente. Surtout avec ceux, et celles, hein, faut pas croire, qui décident de vous aimer. Moi, en quinze ans et trois mois d'existence, y a des tas de gens qui m'ont aimée. Et maintenant, je pose la question aux murs, aux coquerelles, à mon cahier : qu'est-ce que ça m'a donné ?

Dans mon cahier, je ne fais pas qu'écrire. Même que je n'écris pas beaucoup. Je préfère dessiner des cartes géographiques, parfois stylisées, parfois non, mais toujours à l'échelle, en couleurs. J'ai trouvé comment, grâce à mes crayons, contrôler l'intensité de la lumière. Je fais le jour et la nuit, la pluie et le beau temps sur la terre et j'essaie de répartir les richesses plus équitablement. Je fais pousser de l'opium au Québec et des calories en Afrique. Partout où il y a la guerre, j'installe des boucliers. J'aime dessiner l'Afrique, les océans et les mers. Surtout la Méditerranée.

J'aime aussi dessiner des coupes, le relief, la croûte terrestre. C'est toujours bon de savoir sur quoi on se met les pieds, ne serait-ce que pour constater que partout c'est plein de fosses et de glissements, comme à La Ronde dans la maison qui bouge et dans laquelle, personnellement, j'évite d'aller.

Je suis plutôt à la recherche d'une certaine stabilité. Et je n'aime pas m'amuser. Y a des filles qui aiment rire et crier de peur. Moi, y a pas grand-chose qui me fasse rire et quand j'ai peur ce n'est pas parce que je tourne trop vite dans un manège ultra-sécuritaire avec un gentil petit gars qui me tient par les épaules et qui regarde ma bouche.

Dans mon cahier, je dessine des failles transformantes : deux plaques qui coulissent l'une le long de l'autre sans s'écarter ou se rapprocher, si je me souviens bien, parce que je n'ai plus d'Atlas, ni de dictionnaire et ça fait longtemps que je n'ai pas dessiné.

La dernière phrase que j'avais notée, je l'avais lue dans *L'Écume des jours.*

Le plus clair de mon temps, je le passe à l'obscurcir, et le dernier dessin, c'était le cirque d'un glacier. On suit la carte du Tendre qu'on peut et l'évolution du relief, ça prend des millions et des millions d'années.

Et ça tombe bien parce que le temps c'est tout ce qu'il me reste. Le temps de regarder l'eau s'écouler goutte à goutte dans le filtre à café, le temps de me promener dans ma chambre, de tendre l'oreille aux rumeurs du couloir, le temps de rouler, de fumer, de rouler, de fumer, le temps de me demander pendant combien de temps j'arriverai à reculer l'instant où mon cœur battra comme un fou, où mes mains ne pourront s'empêcher de trembler, où j'empoignerai cette maudite seringue pour me la rentrer dans les veines et faire plein de trous, plein de trous, plein de trous. Je sens déjà l'odeur écœurante de la chandelle qui consacrera mes délires. Et un goût d'abîme dans ma bouche.

Pour avoir passé mon enfance à écouter des histoires qui ne me regardaient pas à la porte de ma tante, la sorcière de Bab el-Loukoum, je connais tout sur les ongles et leur pouvoir affolant. Monsieur n'aime plus sa femme. Monsieur a une maîtresse dans une autre ville. Madame a deviné. Madame consulte. Et pile, pile, pile, le pilon pile les ongles et autres bribes d'intimité. La potion est bientôt prête ; monsieur l'ingurgite ; monsieur s'en va. Dans l'autre ville, dans une autre chambre, avec l'autre, monsieur se tape la tête contre les murs ; monsieur enfle ; monsieur capote. Retour précipité, victoire des ongles.

La première fois que j'ai rencontré Manuela, j'avais été frappée par la longueur démesurée de ses ongles grenat. J'avais presque quatorze ans et demi et je venais tellement juste d'arriver au Québec que c'était encore pour moi le Canada et même pire, l'Amérique. L'Amérique dont je n'avais jamais rêvé.

De corridor en corridor, j'avais réussi à obtenir un rôle muet dans un long métrage. *Ce n'est pas une co-production*, m'avait dit la fille de l'agence de casting, *je te donne un rôle muet*. Je n'avais pas voulu céder à la paranoïa, mais mon cœur avait piqué un galop et au lieu de dire merci, j'avais bafouillé, *je m'y attendais, j'ai jamais eu le bon accent au bon endroit.* J'avais eu le rôle quand même.

C'était la triste histoire d'une danseuse, Manuela, qui retrouve sa fille, moi, après des années de séparation. Comment avait-elle fait pour me reconnaître et surtout, pourquoi, ça, on ne l'a jamais su, le scénario était un peu confus, mais la trame sonore riche.

Alors, c'est la fin du spectacle, Manuela salue. Pleins feux. Je la regarde, elle me voit, on se regarde, plus rien n'existe et je me précipite dans ses bras pour une émotion maximum et le punch final. Nos rôles nous avaient rapprochées plus vite que la vie ne l'aurait fait.

L'équipe de tournage était sympathique, heureusement, car il avait fallu attendre et attendre et nous avions tous beaucoup mangé sauf Manuela qui s'était contentée de peindre et de laisser sécher ses ongles, car elle était végétarienne avec tendances macrobiotiques et récemment séparée de son mari, un mec qui avait décidé d'aller tenter son karma aux Indes et qui s'était rasé la tête. Elle prenait ça très Yin-Yang. Ça voulait dire : couci-couça.

La deuxième fois, c'était environ trois semaines plus tard, un soir que je me promenais comme tous les soirs. Elle sortait du cinéma. C'est elle qui m'avait reconnue. Moi, je n'aurais pas reconnu ma propre mère. Faut dire que j'avais pris de l'acide et les hallucinations, ça y allait. Les gens tous égaux dans leur transparence, tous moches, tous vulnérables, tous sur l'acide et qui m'aimaient. Mais je faisais quand même attention avant de traverser la rue. Il n'était pas question que je meure comme j'avais vécu, écrasée.

Elle m'avait demandé qu'est-ce que je faisais toute seule dehors si tard et si je n'avais pas peur. Puis elle m'avait pris le bras et, en nous éloignant des lumières de la marquise, je lui avais expliqué que je me promenais dans le but de devenir une Québécoise à temps plein et que, oui, c'était l'angoisse, mais avec des couleurs très intenses.

Elle habitait N'Didji — ça m'avait plu. Ça me rappelait mon pays. J'aurais pu naître à N'Didji, de père et mère parfaitement inconnus — un logement à deux étages avec beaucoup de boiseries et j'étais restée longtemps à caresser la rampe d'escalier et toutes ses molécules.

J'étais assise dans la cuisine sur une chaise qui ne touchait pas à terre sans pourtant reposer sur du vide, car le vide n'était plus le vide et moi je n'étais plus du tout moi. J'étais tout sauf moi. Ou extrêmement moi, c'est pareil.

Elle m'avait offert une camomille. J'avais dit, *merci, seulement un verre d'eau*. Mais quand elle me l'avait servi, je n'avais pas pu boire parce que je voyais tous les cristaux formés par les arrangements moléculaires et c'est difficile d'avaler un monde.

Elle m'avait parlé de sa vie de couple et de l'amour, et le son n'était pas synchrone avec l'image. Mais je comprenais tout quand même, la terrible simplicité de toutes choses et du parcours de son sang dans ses veines comme une rivière qui descendrait le

lit de sa peau pour venir se jeter en perles rouges au
bout de ses doigts.

Plus tard, je l'avais entendue qui m'appelait.
J'avais monté l'escalier et poussé sur la porte de
bois. Elle avait mis des heures à s'ouvrir.

Elle était couchée nue, sur son lit, seule comme
sur un radeau. Je savais que je devais plonger sans
masque. Elle avait la langueur des personnages des
tableaux de Modigliani, un long cou, un long corps,
un long moment entre celui où elle m'avait dit, *n'aie
pas peur, viens*, et celui où je m'étais approchée
d'elle en murmurant, *j'ai pas peur, je ne veux pas
avoir peur, j'aime avoir peur, de quoi j'aurais peur ?*
Elle avait souri quand j'avais pris la main qu'elle me
tendait. Je m'étais assise par terre, à côté du lit. Elle
avait caressé mes cheveux en répétant, *Aimée, Aimée*.
Des fois, je trouvais que c'était un joli prénom.

Je savais qu'elle me demanderait si j'étais fatiguée, que je répondrais oui, très, qu'elle me dirait de
m'allonger près d'elle. Elle m'avait prêté un oreiller.
J'avais dit, *qu'est-ce que je fais ?* Elle m'avait répondu, *rien. Tu ne fais rien. Laisse-toi aller.*

J'avais fait comme elle disait. J'avais regardé
dehors. Il y avait un arbre qui voulait entrer et qui
poussait sur la fenêtre de toute la force de ses couleurs.
L'ombre de ses feuilles tremblait sur les cheveux de
Manuela, sur ses épaules et sur ma robe qu'elle débou-
tonnait. J'avais vu mes seins. Je ne les reconnaissais
pas. De rien, ils étaient devenus planètes autour des-
quelles tournaient les langues de Manuela comme des
satellites de miel, des satellites de feu.

J'avais voulu laisser ma main glisser le long de son dos ; elle avait sursauté. Elle s'était reculée ; tout était devenu noir. Je m'étais assise et, comme à colin-maillard, j'avais cherché sa présence à tâtons. C'est elle qui m'avait trouvée. Elle avait enserré mes poignets et j'avais cru qu'elle allait m'embrasser, mais elle m'avait recouchée en disant, *ne me touche pas*. C'est dans les paumes de mes mains qu'elle avait déposé ses baisers. J'avais demandé, *pourquoi ?* Pour toute réponse, elle avait barré mes lèvres du doigt, *chut*. Puis elle en avait caressé le pourtour et j'avais goûté à sa peau. Elle était plus douce qu'une dragée et c'était mon baptême, Aimée, Aimée, Aimée et Manuela.

Je n'avais plus de robe, seulement une culotte, blanche comme une voile qu'elle avait larguée. Mes mains étaient venues se croiser sur mes poils. Elle avait placé un oreiller sous mes reins ; mes jambes s'étaient pliées sans que je le veuille. Alors, elle les avait écartées et j'avais bien vu qu'elle avait trouvé l'horizon qu'elle cherchait.

Je n'avais plus de secret et mon corps tout doucement s'était mis à onduler comme s'il avait retrouvé le bercement de la mer, alors j'avais compris que l'ancre avait été jetée voilà des millénaires et j'étais aussi bien Deborah, Aïcha, que Suzon ou Marie, n'importe qui d'universelle et d'héréditaire, enfin. Toutes à la fois à nous laisser fouiller sur ce lit. Seule Manuela restait seule parce qu'elle ne voulait pas que je la touche.

Ses ongles s'incrustaient dans mes cuisses, elle me griffait, elle me mordait, elle me tournait et me retournait. Quand elle avait porté mes fesses à son visage j'avais chaviré en m'enroulant dans un frisson.

Elle caressait mon ventre plus trempé qu'un jardin à l'aube. J'avais pensé, dans le jardin, il y a une orchidée perdue dans les griffes des coquelicots, le vent souffle et gémit avant la tempête, on court, on court dans les flaques d'eau. Elle avait crié, *c'est beau, ça*, en enfonçant en moi un doigt, ou deux coquelicots, ou toute une gerbe, je ne savais plus, mais elle aurait pu aussi bien y pénétrer tout entière, il y avait de l'espace à vous rendre fou et ses mots et ses plaintes se répercutaient à tous les échos. Alors, elle avait fermé les yeux et je l'avais regardée jouir. Après, elle était calme comme si elle avait atteint le rivage où mourir.

Quand je l'avais prise par les épaules, elle ne m'avait pas repoussée. Je m'étais collée contre elle, un petit peu ; j'avais chuchoté à son oreille, *ce qui est beau, surtout, c'est de te croire*. J'avais caché mon visage au creux de son aisselle. J'avais eu envie de ronronner.

Elle avait eu froid ; il m'avait fallu bouger pour qu'elle puisse attraper le drap. J'avais vu qu'elle pleurait, en silence, sans sanglot, rien que des larmes glissantes. Et les larmes, c'est encore plus intime que la peau. Alors, qu'est-ce que j'en fais de mes questions ? Je les ravale ; je les déglutis ; je les engloutis ; je m'étouffe. Je me trouve trop bête. Dehors, l'arbre se moque. Je rassemble tout ce qui me reste de voix, *pourquoi tu pleures ?* Elle n'avait pas bougé. Elle m'avait seulement répondu, *et toi ?*

Moi je ne savais pas que je pleurais. Mais c'était vrai. Je m'étais dit, merde, c'est pas bon de pleurer sur l'acide, si jamais je reste accrochée, je ne veux pas que ce soit à la tristesse. J'avais essayé de nous faire rire, ça n'avait pas trop marché, je n'avais rien trouvé de drôle à dire. J'avais haussé les épaules, *oh, moi, je pleure par principe, celui des vases communicants, tu connais ?*

Nous étions restées comme ça, suspendues, comme ma question, jusqu'à ce que je redescende, doucement, à l'encontre du jour. Tout allait bien. Les choses reprenaient leurs fausses allures normales.

La porte de la chambre s'était ouverte. J'avais vu deux petits pieds, un volant rose ourlant une longue chemise et des cheveux blonds et deux grands yeux bleus. J'avais déjà lu quelque part que si les enfants ont de grands yeux c'est parce que les yeux naissent avec leur taille adulte. Ça m'avait donné un choc parce que ça prouvait bien qu'il n'y a pas de premier regard.

Tout en parlant à sa mère, c'est moi qu'elle fixait et je me disais, avec des yeux pareils, c'est sûr, elle a tout deviné. Et puis je m'étais rassurée, car elle devait avoir six ou sept ans et qu'à cet âge-là les enfants se foutent du sexe parce qu'ils savent encore tout de l'amour.

Manuela l'avait renvoyée. Elle était sortie sans faire de bruit, comme elle était entrée. Nous n'avions pas parlé d'elle. Nous nous étions levées. J'avais ramassé ma robe froissée, ma culotte, mes sandales et j'étais allée prendre une douche. J'étais contente,

je n'avais pas du tout peur de devenir lesbienne.
Dans le miroir, je m'étais fait un sourire. Mon corps
avait changé. Je m'étais habillée, mais ça se voyait
quand même. N'importe qui d'un peu réceptif aurait
pu s'en apercevoir. Je pouvais sortir tranquille.

Celui qui sort de l'eau, qui s'ébroue comme un chien, qui passe ses doigts dans ses cheveux, qui regarde les filles se promener en maillot de bain, qui siffle, qui dit, *putain, t'as vu celle-là comme elle est belle ?*, c'est mon père. Il peut plonger du haut d'un rocher dans la mer. Moi, j'ai peur de plonger, je ne sais pas nager. Je préfère m'enterrer toute crue dans le sable lourd. Je dis que je suis une vague, une qui part, pas une qui revient, une qui roule jusqu'à l'horizon et qu'on ne revoit plus jamais. Une qui se marre avec la marée tandis que tout le monde pleure, reviens, reviens.

Ils peuvent toujours chialer comme des veaux toutes leurs larmes de crocodiles, quand on est une vague, on s'en fout bien, on roule, on roule, on n'entend rien, on a plein d'eau dans les oreilles et à la place du cœur, un oursin. C'est méchant et ça pique. Je préfère les crabes. J'essaie de les tuer en leur lançant des poignées de sable.

C'est plein de militaires avec des mitraillettes pour nous surveiller. Même avec leurs costumes d'arbres mal dessinés, on les voit très bien. Debout, à la terrasse du café, on croirait qu'ils jouent aux dominos, mais il ne faut pas s'y fier. Ils surveillent la douche, voilà ce qu'ils font. Tout le monde est obligé de passer par là avant de partir, pour se rincer.

Mon père ouvre le robinet. Il dit, *tiens, il y a de l'eau.* Il la laisse couler sur son visage sans s'étouffer.

Je ne veux pas qu'il insiste pour que j'enlève mon chandail plein de sable. Je ne veux pas qu'il m'attrape par le bras et qu'il me tire de force jusque sous la douche. Je ne veux pas que les soldats me sourient avec leurs dents comme des cartouches. Je me sauve très loin. Je ne veux pas qu'il me demande pourquoi tu pleures mon p'tit lapin.

Je le vois qui se sèche, qui s'habille et tranquillement qui me rejoint. À la main, il tient mes sandales. Je ne veux pas qu'il m'aide à les attacher. Je lui donne des coups de pied. Je ne veux pas qu'il fasse semblant d'avoir oublié que sous mon chandail je suis jaune et verte et bleue comme une colère. Et noire comme la mer, quand elle est déchaînée. Je ne veux pas que tout le monde pense que j'ai volé les couleurs de la plage.

De sa poche, il sort un mouchoir, il sèche mes yeux, il mouche mon nez, il dit, *je sais, je sais*, il me prend par la main, il dit, *allez, viens, mon p'tit poussin!* Si j'étais un vrai p'tit poussin, j'aurais un œuf dans lequel me cacher quand ma mère veut me frapper.

Nous nous asseyons à la terrasse de l'hôtel *Beau Rivage*. Mon père commande un café et, pour moi, un mystère. C'est un gâteau glacé garni d'amandes avec une cerise quand on arrive au milieu. Je le mange en rond, tout autour de la cerise.

— Tu veux que je te raconte une histoire ? me demande mon père. Alors voilà. C'est un père qui assoit son fils en haut d'une grande armoire. Il tend les bras vers son fils, il dit, *saute, mon fils, je vais t'attraper.* Le fils ne veut pas sauter, tu comprends, il a peur de tomber. *Saute, mon fils,* qu'il dit, le père, avec un grand sourire, *je vais t'attraper.* Le fils dit, *j'ai peur. Allons, saute, mon fils, tu n'as rien à craindre, puisque je te dis que je vais t'attraper. Tu n'as pas confiance en ton père ?* Finalement, le fils saute et le père le laisse tomber par terre. Le fils pleure, il demande, *pourquoi tu ne m'as pas attrapé ? Tu avais dit que tu m'attraperais.* Alors le père lui dit, *relève-toi, mon fils, et apprends que, dans la vie, il ne faut avoir confiance en personne, pas même en son père.* C'est tout.

— Regarde, j'ai trouvé la cerise.

— Et mon histoire, comment tu la trouves ?

— Je la savais déjà. Je peux avoir un autre mystère ?

Il ne me répond pas. Pour le mystère, ça veut dire non. Il paye. Ça veut dire on rentre à la maison.

C'est difficile de s'endormir attachée. On ne peut pas sucer son pouce, on ne peut pas se gratter, on ne peut pas manger ses crottes de nez, on ne peut pas mettre ses mains entre ses cuisses et se bercer, on ne peut pas se tourner sur le ventre et cacher sa tête dans ses bras. On peut seulement rester là, les yeux ouverts ou fermés sur le noir, à avoir peur de s'endormir et de rêver qu'on est enfin assise sur le bol froid des toilettes, à avoir peur de ne plus jamais réussir à s'endormir et de mourir trop fatiguée. Et puis on finit par s'endormir quand même, sans pouvoir profiter du voyage.

Le matin, je suis toujours la première réveillée. Si je n'ai pas pissé, en attendant que ma mère vienne me détacher, je m'amuse à un jeu que j'ai inventé et qui s'appelle *Dredémolor*.

Je dis, mais pas fort, pas pour qu'elle m'entende vraiment, juste pour jouer, *Pêchetoimamandé*. On croit que ça n'a aucun sens. Ou *Mandépêchetoima*. On croit que ça n'a aucun sens non plus, mais c'est un langage secret. Pour comprendre, il faut répéter le mot très vite et plusieurs fois de suite. La deuxième fois déjà on entend tout autre chose, et c'est cette autre chose qui prend toute la place jusqu'à ce qu'on s'essouffle. Ça marche avec n'importe quel mot. *Chantemé.*

Je l'attends. Pourtant quand elle arrive finalement, elle me fait toujours sursauter. Elle dit, *toi, tu n'as pas la conscience tranquille.* Mais elle se trompe ; je n'ai pas pissé et elle est bien attrapée.

Elle se penche sur moi, elle tâte mes fesses, elle tâte mon ventre, ma chemise, mon drap, elle dit, *c'est tout sec, ça.* Alors elle sourit avec ses dents du bonheur, ses dents écartées, et elle me détache. D'abord les pieds, ensuite les mains et même si je suis tout à fait capable d'enjamber toute seule la barrière de mon lit, elle me prend dans ses bras pour me descendre, *ooooh, qu'il est lourd le gros bébé, tu as bien dormi ?* Elle m'embrasse en faisant claquer le baiser sur ma joue, *ah, là tu es bonne à embrasser, pas toute pissée dégueulasse, hein ? Là tu sens bon, ça fait plaisir au moins, non ? C'est pas mieux comme ça ? Dis-moi, c'est pas mieux que de me faire crier comme une folle ?*

— Si.

— Si qui ? Si quoi ?

— Si maman, c'est mieux.

— Bien sûr que c'est mieux. Allez, serre ta maman fort comme tu l'aimes.

Je mets mes bras autour de sa taille.

— C'est tout ? Ah, bon, là c'est fort. Oui ma chérie, oui. Oh qu'elle l'aime fort sa maman, oui. Attention, tu me fais mal. Bon, c'est assez, tu me fais mal. Arrête. Arrête. C'est assez je te dis, arrête. Tu arrêtes ? Mais arrête putain de merde, comment faut-il te parler pour que tu comprennes ?

J'arrête.

— Décidément, on ne peut pas être gentille avec toi. Allez, va, va vite.

Je cours aux cabinets où je pisse longtemps parce que la pisse, c'est comme la peine, plus on la retient, plus il y en a. Ensuite, je me déchire un morceau de papier. S'il y a une image dessus je la regarde, sinon je le froisse tout de suite, je le jette dans la poubelle et, au lieu de m'essuyer, je me secoue. Après, je grimpe sur la cuvette pour tirer la ficelle de la chasse. Des fois, il reste une petite goutte, toute chaude, qui coule le long de ma jambe tandis que je rejoins ma mère à la cuisine, mais ça ne fait rien parce que je ne porte plus de culotte que je risquerais de salir, et que ce n'est qu'au réveil qu'elle me vérifie de sa main froide.

— Tu t'es bien essuyée, ma poupée ?

Je réponds, *oui maman*. Elle est contente, elle dit, *c'est bien, tu es une grande fille*. Mais en vérité, je suis une belle menteuse.

Je m'assieds à table où elle me sert deux tranches de pain trempées dans l'huile et saupoudrées de sel. C'est bon. Ça dégouline sur mon menton.

Pendant que je mange, je regarde ma mère. Assise près de l'évier, le moulin à café serré entre ses cuisses, elle moud le café et tourne, tourne la manivelle, très vite, comme un manège qui sentirait bon, mais qui grincerait.

Pour qu'elles tiennent remontées, elle a accroché les manches de sa robe de chambre aux épaules avec deux épingles à linge. Ça lui fait comme deux petites ailes de bois. Mais d'habitude, les ailes c'est en plume et c'est pour ça qu'elle ne s'envole jamais. Ou bien alors, ce sont des ailes d'ange qu'on ne peut pas savoir en quoi c'est fait.

Du doigt, j'étale les gouttes d'huile qui tombent sur la toile cirée. Je trace un cœur de trèfle autour d'un carreau blanc. Autour d'un carreau rouge, je trace un cœur de sang.

Un chiffon atterrit sur la table.

— Tu as fini de téter ce pain et de me faire toutes ces saloperies ?

J'avale ; je me grouille pour effacer les cœurs, bien comme il faut, qu'il n'en reste rien, qu'ils passent tous dans le chiffon comme un truc de prestidigitateur et zou, ni vu ni connu je t'embrouille.

Sauf qu'il n'y a même pas une chance sur mille milliards qu'en secouant le chiffon on fasse apparaître une colombe ou un petit lapin. Un cafard, peut-être, quand je pose le chiffon sur l'évier.

Ensuite, ma mère me frotte la figure et les mains avec un gant de toilette. Elle dit, *allez ouste, débarasse-moi le plancher. Mais ne va pas trop loin que j'entende les bêtises que tu fais.*

C'est comme ça que ça se passe le matin si je n'ai pas pissé au lit.

Si j'ai pissé, je suis glacée. Ses savates claquent sur ses talons nus. À chaque pas qui la rapproche de moi, mes oreilles bourdonnent un peu plus, ma tête élargit puis rapetisse, élargit, rapetisse, ça donne envie de vomir, mais tout ce qui sort de ma gorge ce sont des petits cris de chien.

Elle ne me détache pas. Elle renifle, elle dit, *tu
pues*. Elle me crache à la figure, elle me frappe en
criant, *saleté, salope, pourriture*. Je pleure. *Chut
maman, chut maman*. Elle remonte ma chemise sur
mon visage, elle appuie fort de sa main dure, elle dit,
tu la fermes ta sale gueule ou je t'étouffe ?

Je me tais. J'attends qu'elle ait fini. Ce n'est pas
fini. Je ne vois pas ce qu'elle fait, mais je devine. Je
l'entends farfouiller dans la cuisine. J'essaie de col-
ler mes jambes l'une contre l'autre, mais je n'y arrive
pas ; je tire, mais je n'y arrive pas. Soudain, elle
écarte ma fente et la remplit de piment broyé. Ça
brûle comme le sirocco qui hurle dans le ciel rouge.

Plus tard, elle me détache. J'ai du mal à m'age-
nouiller. Je demande, *pardon maman, pardon petit
Jésus*. J'ai du mal à marcher, j'ai du mal à m'asseoir.
Elle dit, *bouffe, saleté*. J'ai du mal à avaler. Deux
tranches de pain trempées dans la morve et saupoudrées de honte.

Je mange tout, jusqu'à la dernière miette, je ne
dis rien, je ne regarde nulle part, je m'en fous.
Dehors aussi c'est la guerre. Tout le monde se fait
tuer. Ils explosent, pouf, leur corps tout démantibulé
par les grenades. Moi, ça prend plus de temps, c'est
tout. Après, ils ont la paix. Ils montent au ciel, sans
leur corps foutu, où ils n'ont plus jamais mal, plus
jamais envie de pisser. Ou bien, ils se font couper la
tête, couic, et ça revient au même. Ou bien, ils se font
attraper, ils se font déshabiller, ils se font pendre par
les pieds, dans la rue, tout nus, et c'est la dernière
fois qu'ils ont peur. On les voit qui traînent presque

sur le trottoir, avec leurs doigts en moins parce qu'on a pris leurs bagues, ou plus de mains du tout parce qu'on a pris leurs montres. À l'envers, ils ont des yeux blancs fixés sur les crachats, et le ventre ouvert, les entrailles qui sortent et les mouches qui entrent. Pour leur fermer la gueule définitivement, on a enfoncé leur zizi et leurs couilles dedans. Tout saignants.

C'est comme ça. On a tous un ennemi. Des fois, c'est le même pour tout le monde, c'est le chef du pays. Des fois, on en a un bien à soi, c'est le chef de famille.

Épilogue

La terre a un sale caractère. Voilà ce que je constate après avoir suivi mon premier cours de poterie. De notre corps à corps sans merci qui a duré six longues heures, c'est la terre qui est sortie victorieuse. Ça m'a fait plaisir quand même, parce qu'on a beau avoir fait d'époustouflants progrès technologiques, quand on arrive simplement avec ses deux mains nues pour la pétrir, la terre, on s'aperçoit qu'il n'y a rien de réglé et que c'est elle qui gagnera toujours.

Dès le début, la prof nous avait prévenus, faut être humble. Mais je le savais déjà. Et puis elle nous avait parlé d'énergie, de matière, de centre et d'essentiel, et j'étais bien contente de voir que je me trouvais au bon endroit. C'était exactement pour tout ça que je m'étais inscrite à son cours (POT 302), pour pouvoir jouer dans la terre comme dans mon caca. Pas que je veuille absolument repousser mon cri primalvenu, mais bon, il n'est jamais trop tard pour vivre une enfance heureuse.

Chaque élève avait choisi sa place, debout, autour de la longue table et tenait à pleines mains sa motte de terre humide. La prof aussi avait la sienne, pour nous faire une démonstration. Il s'agissait de la pétrir en rond, dans le sens des aiguilles d'une montre, jusqu'à ce qu'elle ne contienne plus un brin d'air, jusqu'à ce qu'elle soit tout enroulée sur elle-même comme la coquille d'un escargot.

Moi, j'aime bien les escargots. Quand j'étais petite, j'en hébergeais toute une baveuse famille, dans une boîte, sous mon lit. Je volais pour les nourrir de la laitue à ma mère. Je n'ai jamais réussi à les surprendre en train de manger. Le jour, je jouais à leur enfoncer les yeux pour le plaisir de les voir rejaillir; le soir, pour nous aider à nous endormir, je leur chantais ma petite chanson cruelle, *escargot, berlingot, prête-moi tes cornes ou sinon je te passe à la casserole.*

Ils sont morts tout séchés, leur coquille transparente et friable comme un souvenir. Je n'avais pas pleuré. Ils n'en bavaient plus du tout, eux.

Une fois qu'on l'a pétrie, la terre, il faut la refermer en une masse bien compacte, sans plis aucun, sans trous, et puis la lancer de toutes ses forces plusieurs fois sur la table. J'avais hâte d'en arriver à cette étape délicate.

La grande fille face à moi, juste de l'autre côté de la table étroite, elle mettait tant d'ardeur à la pétrir sa motte, que je n'avais pas pu m'empêcher de lui dire, *j'ai peur qu'on se cogne la tête.*

— Aie pas peur, elle m'avait répondu, rassurante, je ne suis pas une débutante. D'ailleurs, j'ai presque fini.

D'ailleurs, ils avaient tous presque fini.

Moi, j'en étais encore à rajouter de l'eau, plus d'eau, encore de l'eau, et plus j'en rajoutais, plus elle s'adoucissait, la terre, et mollissait sous mes doigts en faisant des petits clapotis érotiques. Ça porte à rêver. J'aurais bien voulu la jeter sur le plancher et sauter dedans, pieds nus. Comme en Colombie, dans le volcan.

J'ai déjà sauté pieds nus dans un volcan. Je le jure sur la tête d'Haroun Tazieff. J'ai fait l'amour dans un volcan. Ça fait longtemps. J'étais encore amoureuse du père de mes enfants, à l'époque.

Sur la plage, il massait mes chevilles ; je tressais ses longs cheveux noirs, à l'ombre d'un cocotier. Je me souviens du petit lézard immobile sur le tronc. D'un vert très clair qui tirait sur la lime, mais en plus fluo, il avait exactement la couleur des œufs qu'on m'avait servis à l'aéroport Mirabel, le jour de notre départ. C'est joli comme couleur pour un lézard, mais pour des œufs, c'est dégoûtant.

Arbolete, qu'il s'appelait, le charmant village. Et El Volcano, la montagne d'où nous avions vu descendre, raide et couverte de la tête aux pieds d'une substance grise, épaisse et sèche, une horde de zombis.

Il avait serré ses doigts très fort autour de mes chevilles, moi les miens autour de sa tresse. J'avais mordillé mes lèvres, *s'ils approchent trop, t'as pas un fouet de branches de pois Congo ?*

— De pois quoi ?

— Congo. Ou alors autre chose, n'importe quoi, mais vite, pour les désennuyer, une bobine de fil à enfiler dans une aiguille sans chas, n'importe quoi, n'importe quel travail tellement impossible qu'il faut l'éternité pour le faire.

— Si je leur demandais d'essayer de te comprendre ?

Et puis nous nous étions calmé les nerfs parce
que les affreux se jetaient un par un dans la mer.
Quand ils ressortaient des flots, ils étaient parfaitement normaux.

Rassurés, pleins de hâte et de curiosité, nous
avions alors gravi la pente craquelée d'El Volcano,
jusqu'en haut, jusqu'au cratère immense. Ils étaient
tous réunis là, les villageois, pour nager et s'amuser
dans la boue. Ils nous criaient, *salta, salta*, en
faisant des grands signes pour nous attirer dans leur
trou. Après en avoir laissé quelques-uns sauter
avant nous, et comme ils n'avaient pas l'air de
s'enfoncer plus loin que le cou, nous avions sauté
aussi.

Au contact, c'était chaud et doux comme notre
amour. D'énormes bulles d'air remontaient du centre
de la terre pour venir s'éclater près de nous. Nous
nous sentions encore plus petits que d'habitude par
rapport à l'univers, alors nous nous étions embrassés,
et puis caressés, et puis, voilà, quoi, nous l'avions eu
notre orgasme volcanologique.

On en a fait, quand même, des beaux voyages,
lui et moi. Même par la suite, quand on s'est chica-
nés, on n'a pas pu le nier. Enfin. Bref.

Il faut être humble, comme dit la prof, mais il
faut avoir aussi un petit peu d'ambition. Je n'avais
pas abandonné l'idée de la mater, la terre, d'en
faire une belle grosse boule qui tournerait bien
rond.

Les autres élèves étaient déjà tous bien installés derrière leur tour, chacun son tour, rien que mon tour à moi qui ne venait pas.

Tout empêtrée que j'étais dans ma boue et dans mes pensées, je me suis rappelé un petit cœur de papier que j'avais découvert un soir, tendrement posé sur mon oreiller, un petit cœur bleu bordé de rose et sur lequel était écrit, en lettres DÉTACHÉES :

Et puis plein de petites croix pour figurer les baisers. Pour nous enseigner l'humilité, y a quand même rien qui vaut un enfant. Dommage. Dommage de leur laisser un monde à l'agonie et une planète toute polluée.

Je commençais à regretter d'être venue. Mon corps n'était plus que douleur, mes ongles saignaient, et je n'avais plus assez de place sur la table encombrée. Avec tous les jolis cendriers sans fond, les délicats vases plats que les autres bolés avaient fabriqués.

La prof faisait preuve d'une patience infinie pour m'encourager, pour m'expliquer le dialogue qui devait s'établir entre la terre et moi. Je comprenais tellement que, finalement, ce n'est pas sous mes doigts qu'elle était venue se former, la fameuse boule tant désirée, mais dans ma gorge. Parce que tout ce que je trouvais à lui dire, à la terre, c'était pardon.

Pardon? Non mais, ça va pas, non? je m'étais engueulée. Qu'est-ce qui te prend? T'en as pas marre de t'excuser? C'est pas toi qui parlais de devenir une femme, une vraie, au cordon bien coupé, aux entrailles autonomes?

Bon, bon, t'as raison. Il n'y a rien à dire, dans le fond. Qui crèvera verra. Moi puis les autres feux follets, j'espère qu'on s'embêtera pas.

Je voudrais que ma pierre tombale soit conçue comme un gratteux : Merci d'avoir participé. Meilleure chance la prochaine fois.

Et puis revenir galet, tonnelle, ruisseau, n'importe quoi de tranquille et de beau et de très sincère, parce que la vérité, ma terre, c'est que je me languis de toi.